Ik ben van niemand

Åsa Linderborg

Ik ben van niemand

Uit het Zweeds vertaald door
Clementine Luijten

DE GEUS

De dank van de auteur gaat uit naar Thomas Anderberg, Pia Bergström, Samuel Edquist, Martin Linde, John Swedenmark, Anders Thoré, Jenny Tunedal en alle anderen die op diverse manieren met dit boek hebben geholpen. Speciale dank aan Erik Wijk.

Deze uitgave is mede mogelijk gemaakt dankzij een bijdrage van de Zweedse Cultuurraad te Stockholm

De vertaalster ontving voor deze vertaling een reisbeurs van de Stichting Fonds voor de Letteren

Oorspronkelijke titel *Mig äger ingen*, verschenen bij Bokförlaget Atlas
Oorspronkelijke tekst © Åsa Linderborg en Bokförlaget Atlas, Stockholm 2007
Published by agreement with Norstedts Agency
Nederlandse vertaling © Clementine Luijten en De Geus bv, Breda 2009
Omslagontwerp Studio Ron van Roon
Omslagillustratie © Tanja Linderborg
Druk Koninklijke Wöhrmann bv, Zutphen
ISBN 978 90 445 1287 8
NUR 302

Voor Amanda en Maxim

MIJN VADERS PORTEMONNEE is zo groot als een handpalm, zwart en licht gebogen na een leven in zijn kontzak. De naden beginnen een beetje los te laten en hij is zwaar, hoewel hij nagenoeg leeg is. In het bankbiljettenvakje zit niets, in het muntvakje 18 kronen en 50 öre. Achter zijn verzekeringspasje verdringen zich een chequeboekje van de Nordbank en een lidmaatschapskaart van de Metaalbond, afdeling 20. Een verkreukeld krantenknipsel met een tabel van de bandysuccessen van de Västerås Sportklubb, één enkele postzegel met de koning erop. In een van de vakjes schuilt een spiksplinternieuwe pinpas, gewikkeld in een papiertje met daarop het woord *lall* en een cijfercode. Er staat 99 kronen op de rekening. Toen mijn vader stierf had hij nog elf dagen te gaan tot zijn volgende werkloosheidsuitkering.

Er ligt ook een klein notitieboekje voor bankzaken, waarin mijn vader telefoonnummers heeft opgeschreven. Op de eerste regel staat 'Åsa' en mijn nummer thuis. Daaronder heeft hij met een dikkere viltstift 'Drank' geschreven en een telefoonnummer dat herhaaldelijk terugkomt. Dan volgt zijn oudste zus Majken en de andere broers en zusters, ook degenen die hij toch nooit zou bellen. Zijn beste vrienden Börje en Berit. Dan een hele rij nummers van Vuiltje, Kaalkop, Buster, de Slang, Hoffa, Babbel, Bloem, Bella en Britta met de tieten. Ook het nummer van mama's zus Nina, die hij al jaren niet meer heeft gezien, staat keurig genoteerd.

Op zijn identiteitsbewijs staat Leif Boris Andersson, geboren 15 februari 1941. Het is een goede foto, ik kan zien dat hij het is.

In de jaren zeventig – toen ik klein was – was Västerås de zevende stad van Zweden. Iedere derde inwoner verdiende de kost bij Asea. De meesten werkten daar hun hele leven. De fabrieken lagen midden in het centrum, enorme bakstenen gebouwen die de mensen opslokten. De Mimerfabriek nam een flink blok in beslag en verderop in dezelfde straat lag Punkt, het grootste warenhuis van de stad.

Klokslag vier uur 's middags klonk de sirene en de enorme hekken gingen open voor honderden fietsende metaalarbeiders – de Aseastroom. Het duurde slechts een paar minuten voordat de enorme werkplaats leeg was. Dicht op elkaar gepakt hielden honderden mannen en een paar vrouwen met hoofddoek elkaar het eerste stuk van Stora Gatan gezelschap voordat ze zich verspreidden, om elkaar de volgende dag om zeven uur weer te zien. De meesten waren geboren en getogen in Västerås, maar velen hadden een Italiaanse, Griekse, Joegoslavische of Finse naam. Even later was het tijd voor het kantoorpersoneel in het naastgelegen grote, mooie glasgebouw in wisselende nuances blauw om op hun fiets te springen.

Papa werkte bij Metallverken in de wijk Kopparlunden. Metallverken lag ook midden in de stad, maar bestond uit lage fabriekshallen van lichte baksteen met schoorstenen en getande daken. Daar werden aluminium en koperen producten vervaardigd, maar mijn vader was staalharder en werkte met metaal dat verhit werd in ovens waar de temperatuur opliep tot boven de duizend graden. Als een moderne smid ongeveer, legde hij uit toen ik ernaar vroeg, maar ik dacht liever aan hem als drakentemmer. Met list, moed en enorm vakmanschap durfde hij iedere ochtend weer de draken in Kopparlunden te benaderen, die daar met hun zigzagruggen rook over de stad uitbliezen. Ze hebben de hele nacht onrustig geslapen, en pas als Papa de Drakentemmer verschijnt, worden ze rustig en openen vriendelijk hun brandende innerlijk.

Zes minuten over vier klokte papa uit en sloot zich aan bij de Aseastroom. Het kostte hem slechts een paar minuten om naar de crèche in Viksäng te fietsen, waar ik op hem wachtte.

Ik was blij als ik hem de buitendeur hoorde openen en zijn voeten vegen op de mat in de hal. Geen enkele ouder was zo zorgvuldig. Hij zei dat alleen gajes en kouwe kak hun schoenen niet schoonmaakten voordat ze ergens naar binnen gingen. Ik rende op hem af en omarmde zijn benen, voelde de kou van zijn groene nylon parka.

'Ha poppetje, fijn je te zien!'

Hij aaide me over mijn hoofd en ik snoof de zweetgeur, rooklucht en bierdamp op. Liet hem de tekeningen zien die ik had gemaakt: iedere dag prinsessen in bruidsjurken met een kroontje en hoge hakken.

Buiten stond papa's blauwe Crescent. Hij zette mij op de bagagedrager en fietste ons naar oma en opa, die met eten zaten te wachten in de keuken met de lichtblauwe keukenkastjes.

ONZE ROUTE LIEP langs de lage huurhuizen van Viksäng, over een langwerpig veld met bosjes en door een stille wijk met kleine en grote villa's en keurig verzorgde rododendrontuinen waarin niemand zich leek te willen ophouden. Oma en opa woonden in Björkgatan 14 in Skiljebo-Zuid. Opa had de rode bakstenen stulp zelf gebouwd in de weekenden en 's avonds na zijn dagtaak bij Metallverken, met behulp van de goedkope bouwlening die de Metaalbond haar leden na de oorlog had aangeboden. Heel Västerås was vergeven van dergelijke huizen, waardoor het oppervlak van de stad even groot was als dat van Malmö.

Op de benedenverdieping hadden oma en opa ieder een eigen kamer; in die van opa stond de tv. Boven zijn bed hing een schilderij met een vrouw in een oranje bikini. Ze ligt aan de waterkant, heeft lang zwart haar en glimlacht naar de toeschouwer. Oma was kwaad over het schilderij maar het deed opa aan haar denken toen ze jong was. Voordat je de tieten van de Boei kon oprollen zoals je met pannekoeken doet.

In de mooie kamer stonden een buffetkast, een eethoek en een bankstel. De kristallen kroonluchter met de blauwglazen kaarshouders en kaarsen die nooit werden aangestoken vergeelde met de jaren. We zaten daar alleen op Kerstavond en andere bijzondere gelegenheden. De rest van de tijd brachten we door in de kleine keuken.

Op de bovenverdieping woonden Olle, die ook bij Metallverken in dienst was, en zijn vrouw Märta. Onder het schuine dak was een opgekropt verdriet voelbaar over de kinderloosheid waarover niemand sprak.

's Winters lag opa's zeilboot in de garage, en in de kelder bevonden zich honderden stuks gereedschap en visgerei. De grote tuin bestond voor de helft uit bos met berken en weidebloemen die eraan herinnerden dat Skiljebo een nieuwbouwwijk was waar nog niet zo lang geleden koeien graasden.

Oma besteedde uren aan het koken van gerechten waarvan ze wist dat papa ze lekker vond. Vleessoep met knoedels, hachee, gevulde koolrolletjes, varkensworst, vlees in dillesaus, erwtensoep en pannekoeken, gebakken zoute haring, Oostzeeharing, vlees in mierikswortelsaus, stamppot van koolraap met varkensschenkel, isterbandworst. Een paar keer per week was het snoekbaars of baars die opa uit het Mälarmeer omhoog had gehaald, en af en toe snoek. Aardappelen en wortelgroente, nooit bladgroente. Vlees werd gekookt geserveerd, vis gebakken. De kruiden werden in een plastic doos bewaard: marjolein, kaneel, witte peper en jamaicapeper. Oma gebruikte overal jamaicapeper in. Lange periodes ging ik in hongerstaking en at alleen macaroni in witte saus en pannekoeken met zure vossenbessensaus, die oma geduldig ging staan maken als ik mokkend mijn hoofd schudde over haar eten.

Papa was stug zolang we daar waren. Hij at meestal met zijn jas aan – van schoenen uitdoen kon al helemaal geen sprake zijn – om te benadrukken dat hij daar eigenlijk niet wilde, niet hoorde te zijn. Hij zat over zijn bord gebogen en depte zijn gezicht, hals en nek met een handdoek die oma hem had aangereikt. Uren na zijn werk transpireerde hij nog, na een dag bij de hete ovens. Soms was het zweet hem te snel af en droop het van zijn neus of kin in zijn bord en deed de saus heel even wijken voordat hij de zoutdruppels erdoor roerde met zijn vork.

Hij zat er zwijgend bij. Als oma of opa hem iets vroeg, gromde hij een antwoord dat ze niet konden verstaan. Alleen als ik iets zei, keek hij op.

'Wat vertel je me nou, poppetje.'

Het enige wat je hoorde was het geschraap van papa's bestek over zijn bord. Het getik van de keukenklok. De oeroude koelkast die stond te brommen en stroom vrat. Mogelijk klaagde hij erover dat de mierikswortelsaus niet scherp genoeg was – die moest als twee speren in je neusgaten branden – of dat de koolraapstamppot te waterig was. Het alcoholarme bier sloeg hij vlug achterover.

Oma zat niet bij ons aan tafel, ze stond bij het aanrecht en hield in de gaten of het ons aan niets ontbrak. Als we klaar waren nam ze een stuk knäckebröd en een glas taptemelk, dat aarzelend achterbleef op haar dunne, paarse lippen. Haar stakerige benen legde ze op een stoel, aan haar voeten sloffen van restjes wol.

'Dat was heerlijk', zei ze en ze nam een stukje van mijn natte pannekoek, gemarmerd door de waterige vossenbessensaus.

Iedere maaltijd werd afgesloten met dezelfde constatering: bintjes waren de beste aardappels! De lekkerste varkensworst verkocht de Konsum. Je moest eigenlijk bij de cooperatie kopen, het was alleen zo verrekte duur geworden. Het scheelt vijfentwintig öre per kilo! deelde opa – die niet meer in staat was zijn eigen aardappels te telen – verontwaardigd mee.

Opa heette Karl maar werd gekscherend Kalle de Kanjer genoemd omdat hij graag overdreef als hij iets vertelde. Zoals die ochtend dat hij twintig snoekbaarzen met zijn blote handen ving. Uit consideratie met oma gooide hij ze allemaal terug, op één na. Geen mens kon immers zo veel vis aan.

Hij nam een aanloop van een paar seconden voordat hij begon te praten. Zijn mond opende en sloot zich als bij een vis op het droge, zijn tong klakte licht, zijn adamsappel bewoog op en neer onder de bobbelige huid van zijn dunne hals. Zijn vrolijke grijsblauwe ogen schoten heen en weer, zijn voorhoofd was licht gefronst. Hij dacht na. En dan kwam het: 'Ja ja, wat ik zeggen wilde, ik was de eerste voetbalprof van Zweden. Ik kon zo goed doelpunten maken dat ik voor ieder raak schot betaald kreeg. Dat was een aardige duit, kan ik je verzekeren, die ik vervolgens deelde met de rest van het elftal. De eerste voetbalprof van Zweden! Wat zeg je me daarvan, kind?'

Het verhaal van toen hij Gunnar Sträng, de minister van Financiën, op zijn nummer had gezet in het Folkets Park werd iedere keer driester. In de eerste, niet onwaarschijnlijke, versie had opa iets in twijfel getrokken wat Sträng had gezegd, en een donderend applaus van het publiek gekregen, in een latere versie zou Sträng hebben gezegd: nou zeg, Kalle Andersson, je hebt verdomme nog gelijk ook! De laatste keren dat ik het verhaal hoorde, beweerde opa dat hij Sträng in een hoek had gedreven en de held van het Folkets Park was geworden – en dat de minister vernederd en uitgelachen met de staart tussen zijn benen was afgedropen, net als de gemene kat uit *Pietje Kortstaart*.

Het verhaal over zijn vader, die hij nooit had gekend, kende twee varianten. In de eerste had zijn ouwe heel Hubbo met syfilis besmet en was vervolgens naar Stockholm vertrokken, waar opa hem als volwassen man had opgezocht en op z'n bek geslagen. In de tweede versie was hij naar de vs gevlucht en tijdens een gevecht in een saloon gedood.

Op opa's nachtkastje lag altijd een stapeltje strips van *Bill & Ben*, die Olle in de kiosk aan Stockholmsvägen kocht.

Ondanks zijn levendige fantasie was opa een fatsoenlijk man, die uiteraard een handje hielp als iemand hem dat vroeg. Een gepensioneerd, plichtsgetrouw arbeider met een fysionomie alsof hij was geschapen door de kunstenaar Axel Petersson. Pezige lange armen, grote handen en een licht gebogen gang. Als hij liep was het net of zijn voeten een kluwen wol opwonden. Met zijn smalle gezicht en enigszins spitse neus leek hij opvallend veel op Marcus Wallenberg. Toen ik dat een keer te berde bracht, schoten zijn oudemannenogen vuur. Hij bracht zijn mond in startpositie, dacht een paar seconden na en kwam toen met een verhaal dat we nooit eerder hadden gehoord: 'Hèèm heb ik ooit ontmoet. Hij zei tegen me: Karl Andersson, jij bent een van de bekwaamste arbeiders van heel Metallverken! Zonder jou zouden we het niet redden! Dat zei die. Weet je wat ik heb geantwoord? Nou, zeg ik, moet je 's goed luisteren, Marcus Wallenberg, jij bent de bekwaamste van alle kapitalisten, maar zonder jou redden wij ons uitstekend. Dat zei ik tegen 'm. Wat zeg je me daarvan, meiske?'

'Ach wat', zei oma iedere keer. Als ze al luisterde. De volwassenen deden dat allang niet meer, maar ik verzamelde opa's verhalen. Reeg ze als indianenkralen aan een snoer.

Oma heette Ingeborg maar werd de Boei genoemd. Ze was rond met grijze krulletjes, haar wangen waren gespikkeld door de gesprongen bloedvaatjes en ze had spataders zo dik als dropveters. Ik dacht aan haar als aan de eiercakejes die tante Nina met Kerst bakte: pisgeel, zoet en goddelijk lekker.

Ze was zelden boos of bedrukt. Nooit gestrest.

Er werd gezegd dat oma onweerstaanbaar mooi was geweest, met lange, donkere krullen, wat te danken was aan het sensuele Waalse bloed van de Skultunafabriek. Nu sloffte ze rond in een donkerblauwe jurk, schort voor, dikke beige nylonkousen die ze fatsoenlijk wist op te houden met jarretelles, en ze verspreidde een zwakke urinegeur. Haar roodomrande ogen traanden voortdurend en haar neus werd zonder succes behandeld met een Vicks-inhaler. Haar kunstgebit lag in de messenla of in een glas water op het aanrecht. De slappe keteltjeskoffie dronk ze met een suikerklontje in haar mond van het schoteltje, bij pannekoeken at ze haring. Geboren in hetzelfde jaar als opa, 1899.

Ze werden voor het eerst ouders toen ze achttien waren en daarna volgden nog zes kinderen. Papa was de jongste.

'Smijt hem maar tussen de anderen!' grapte opa toen oma voor de laatste keer uit de kraamkliniek kwam.

In feite werd papa behandeld alsof híj het doel was van vierentwintig jaar kinderen voortbrengen, die geen van allen gepland waren. Hij nog het allerminst.

Tientallen jaren had oma vermaakt en versteld, gebakken en gewassen, genaaid en gebreid, gesopt en geboend, gekookt en ingemaakt, kinderen en kleinkinderen beziggehouden en ingestopt. Een van de tienduizenden huisvrouwen die de arbeidskracht in leven hielden voor de onverzadigbare industrieën van de stad en nieuwe broedsels grootbrachten. Een kei in het iedere dag weer de eindjes aan elkaar knopen van een metaalarbeidersloon, met al die kinderen.

Niemand heeft een lievere moeder dan ik, zei papa altijd. Hij was vaak geïrriteerd over opa, maar hij zei nooit een onvertogen woord over oma. Het enige waar hij commentaar op had was dat ze een beetje onnozel was. Oma had in haar hele leven geen boek gelezen en veel van wat in het sufferdje stond was te moeilijk voor haar. Ze behoorde tot de generatie vrouwen die nooit de kans had gekregen zich te scholen of te ontwikkelen, en dat merkte je. Zo wist ze niet of de wereld rond of plat was, maar als ik geluk had vertelde ze over alle kabouters en aardmannetjes die ze in de bossen rondom haar ouderlijk huis had gezien. Over zulke dingen praatte ze niet als er een man in de buurt was.

Papa en oma beweerden allebei dat ze een zesde zintuig hadden voor op handen zijnd bezoek, ziekte en dood. Voor oma was die eigenschap niet iets om veel woorden aan vuil te maken, maar voor papa was het iets heel bijzonders. Het was van oma op hem overgegaan en vervolgens op mij, beweerde hij, maar niet op zijn broers en zusters en hun kinderen.

'Nee nee, godnogantoe, dat begrijp je toch zeker wel, niet op dat stelletje imbeciele zigeuners!'

Na het eten rende ik naar de bovenverdieping om voor één kroon een paar sigaretten te kopen. Olle lag op de bank tv te kijken als ik mijn hand uitstrekte met de twee munten van vijftig öre. Märta, kortgeknipt, met uitpuilende ogen van de schildklieraandoening waaraan ze leed en spleetjes tussen haar tanden, glimlachte blij als ze me zag, maar ze bood me nooit iets aan. Ze vroeg of ik wilde blijven om een beetje te tekenen, maar ik zei dat papa op me wachtte. Ik vond haar aardig, maar ze kon niet op tegen de andere vrouwen in de familie die ook graag voor me wilden zorgen.

Toen ik weer beneden kwam, opende opa verrukt het minivriesvak in de koelkast en haalde een waterijsje tevoorschijn. Ik kroop bij papa op schoot om het ijsje te verorberen, maar hij had het te heet en vroeg me eraf te gaan. Toen ik groot genoeg was om te kaarten, speelde ik een potje casino met opa.

'Blunder!'

'Wat voor kaart heb je gepakt? Boer? Is zeven plus zes elf?'

'O ja? Echt waar, meisje, ik dacht dat het een heer was!'

Als we uitgespeeld waren, wilde opa zingen: 'Vedholm en Dikke Lasse, Karl-Herman en ik – Herman en ik – speelden in café Snuvan de godganse dag – ganse dag ...' Ik zong het refrein mee: 'Accordeon en klarinet zal het zijn, dolle pret en anders niet' – een beetje onzeker of hij niet liever alleen wilde optreden. Hij wilde flink uithalen, maar zijn oude hese stem had moeite de melodie en mijn doordringende kinderstem te volgen, die zong zonder alle woorden te begrijpen.

Papa doofde zijn eerste sigaret in het bord en stak de tweede op. Hij ging overeind zitten, rechtte zijn rug. Soms was hij bereid te luisteren terwijl opa verslag uitbracht van alle vierponders die hij die dag had gevangen, alleen maar om de baarzen weg te geven aan dankbare mensen die hij onderweg naar huis tegenkwam. Oma vroeg hoe het was op de kinderbewaarplaats.

'Dat heet kindercrèche, oma!'

Ze zei ook *overall*, zoals je het schrijft. En pissen, niet plassen. Ze noemde mij haar schatteboutje en ik kromp in elkaar van schaamte. Boutje. Een lelijker woord bestond niet. Als het tijd was om naar huis te gaan, kreeg ik een Dajm of een Mars.

'Ma, heb je lall?' fluisterde papa.

Oma had bijna altijd een briefje van tien kronen – of zelfs van vijftig – verstopt in haar schortzak. Ze stak hem het biljet toe in de veronderstelling dat opa niets merkte. Het kwam voor dat papa geërgerd aangaf dat hij meer nodig had en dan kreeg hij dat. Heel af en toe fluisterde ze dat hij moest wachten tot donderdag, als ze weer AOW kregen. Mij gaf ze vijf kronen, waar papa jaloers naar loerde en soms haalde opa zijn kleine zwarte platvink tevoorschijn en rinkelde met wat muntgeld. Soms gaf ook hij papa geld, met een vermanende blik die ik nooit bij oma zag.

'Heb je het niet koud, meiske?' vroegen ze als we onze hand op de deurkruk legden.

'Nee! Ik heb het niet koud!'

'Je moet iets hebben om op te zitten, meiske, anders krijg je het koud! Neem de krant!'

De *Vestmanlands Läns Tidning* gleed onder me heen en weer op de bagagedrager. Ik was zo licht als een veertje, had niet voldoende gewicht om hem op zijn plek te houden.

Alle avonden waren hetzelfde, behalve als papa net z'n loon had gehad. Dan hadden we opa en oma dagenlang niet nodig.

De bezoekjes aan Björkgatan duurden nooit lang, het eten stond klaar als we kwamen en we aten vlug. Papa wilde er zo snel mogelijk weer weg.

We REDEN NAAR de Stjärnhall.

Eerst liepen we naar de bierafdeling. Papa stond een poosje te dubben hoeveel blikjes middelsterk bier hij zou of kon kopen. Zes of acht? Altijd Pripps Blå. Wanneer we de winkel verder in liepen, keek hij steeds weer in het mandje en rekende. Was het genoeg? Had hij voldoende geld? Als het geld niet toereikend was, vroeg hij hoeveel lall ik van oma had gekregen.

We kochten een Lundius-fabrieksbrood, het was nog lauw met kleine condensdruppeltjes aan de binnenkant van de zak. Ik legde het brood tegen mijn wang. Als papa loon had gehad, kochten we een voorverpakt stuk prästkaas, dat hij in dikke plakken sneed en diezelfde avond nog opat. Garnalensmeerkaas in een tube was ook een luxe, evenals een stuk gerookt spek. Wat we altijd kochten was Bregott-boter, halfvolle melk, sardientjes in tomatensaus, ravioli en spaghetti in blik voor mij. Kaviaar met veel kuit, die ik veel te zout vond. Toen ik ouder was vroeg ik om de gifgroene, op schaal verpakte glanzende appels.

'Je weet waar die vandaan komen, hè?'

'Argentinië.'

'Je weet toch wat dat voor land is?'

'Ja, dat weet ik. Daar hebben ze een militaire dictatuur. Daar is Dagmar Hagelin ontvoerd.'

'Inderdaad ja. Fascisten. Vuile potentaten.'

Hij legde het fruit in het mandje en keek om zich heen, meer omdat hij bang was dat iemand onze praatjes zou horen dan dat ze zouden zien wat we kochten.

Aangezien we altijd bij oma en opa aten, kochten we nooit Falu-worst, vissticks of andere dingen voor een warme maaltijd, maar als papa net z'n loon had gekregen, wilde hij gehaktsaus met reuzenmacaroni maken. Hij vond olijfolie schandalig duur en in zijn saus was er veel van nodig. Het was het enige gerecht dat hij kon klaarmaken en de saus moest drie uur pruttelen. Dat betekende pas laat eten; intussen verorberden we de kaas. Papa had zelden honger, het bier vulde zijn maag, en ik at mijn buik rond met snoep.

Papa nam geen ruimte in beslag met een winkelwagentje en als iets er niet was, vroeg hij er nooit om bij het personeel. Wat wij nodig hadden, was er, en hij wilde niet tot last zijn. Hij nam altijd graag de tijd, ook al kochten we niet veel. We liepen rond en maakten ons vrolijk over het eten dat andere mensen kochten en we konden lang staan giechelen om de lakrode haringconserven met *surströmming*, de zwarte *memma*-pudding van Fins roggemeel en de vacuümverpakte aardappelknoedels, drie aan drie bleekjes op elkaar gepakt.

Als we de koeling met belegde sandwiches passeerden kon het gebeuren dat papa bleef staan en een boterham met garnalen, ham, ei en mayonaise in plastic oppakte. Het zag er heerlijk uit, vond hij, maar hij legde nooit een pakje in ons mandje. Behalve op bier en rivierkreeftjes trakteerde hij zichzelf zelden op iets wat hij echt wilde hebben. Hij wierp begerige blikken op de spareribs die ronddraaiden in de warme oven achter de vleestoonbank. Kopen aan de toonbank was een soort optreden dat zelfvertrouwen vereiste. Hij was bang iets verkeerds te zeggen, dat de vrouwen met hun witstoffen kapjes en blauwe schorten zouden vragen hoeveel ons hij van iets wilde hebben waarvan hij niet wist wat het woog. Hij wilde niet iets bestellen waarvan hij niet van tevoren kon uitrekenen wat het kostte. Als het te duur was, kon je het immers niet teruggeven.

'Daar zit toch amper vlees aan, aan die spareribs', overtuigde hij zichzelf.

We kochten niet meer dan een halve papieren tas vol. Plastic tassen waren voor mensen zonder stijl. Die van papier waren bovendien ideaal: ze boden plaats aan bierblikjes zonder dat de contouren onthuld werden. Bovenop legden we het warme brood.

Bij de uitgang was een bloemenstalletje waar een leuk meisje met lang stroblond haar werkte. Papa deed net alsof hij naar de planten keek, alleen maar om een paar woorden met het vriendelijk glimlachende en gezellig pratende meisje te kunnen wisselen. Het vrolijkte hem op en hij dacht dat ze een beetje in hem geïnteresseerd was. Dat ze misschien zelfs de hele dag had staan wachten op onze komst.

'Kom, Natasja!' zei hij als het tijd was om te gaan en hij zei het zo hard dat het bloemenmeisje het hoorde.

'Natasja!'

Ik werd verlegen. Natasja was mijn tweede naam. Hij noemde me zelden Åsa. Meestal zei hij meiske, poppetje, gekkie of iets wat hij ter plekke verzon. Of Madeliefje, zoals ze me noemden toen ik in mama's buik zat. Het was net alsof hij spijt had van Åsa, al ging hij er prat op dat hij degene was die de naam had verzonnen. Ik vond Åsa de lelijkste naam van de wereld. Vetzakken met dikke dijen, vlechten en paardetanden heetten Åsa. Ik wilde Gabriëla, Johanna, Josefina of iets anders liefs en meisjesachtigs heten – veel letters die duidelijk maakten dat ik iets betekende.

Ik zei altijd papa tegen papa. Nooit pa en al helemaal geen paps. Soms vergat ik mezelf en noemde hem Baloo – hij was immers zo groot en sterk en grappig – maar dat vond hij absoluut niet leuk. Baloo was iets waar de mensen om lachten, een onintelligente Amerikaanse junglebeer. Hij wilde liever worden vergeleken met de vader van Pippi, kapitein Efraïm Langkous – die krachtpatser met getatoeëerde armen en een onbedwingbare vrijheidsdrang.

We zeiden tegen elkaar dat we makker en maatje waren.

Jij en ik zijn makker en maatje.

Bij de kiosk – een kleine opening in de muur – kochten we sigaretten, de krant *Aftonbladet* en voor een paar kronen snoepgoed. Ik kreeg iedere avond snoep. Papa wilde geen lekkernijen kopen waar hij geen verstand van had, zoals buisjes niespoeder of plastic slakken met groene snoepjes. De platte, harde pakjes kauwgom met Walt Disneyplakplaatjes van Robin Hood vond hij maar niks, maar ik kreeg altijd mijn zin en als ik niets wilde hebben was hij beledigd.

'Wil je helemaal geen snoep? Een reep Center, dat is toch lekker?'

En als ik koos voor een doosje Zig Zag maakte hij zich zorgen.

'Zo'n klein doosje? Wil je echt verder niets? Een paar Plopp-chocolaatjes dan?'

Als ik nee zei tegen snoep, zei ik nee tegen hem.

Na de boodschappen gingen we naar huis.

Waar Viksäng zich uitstrekte als een groene, autovrije woonwijk was een regiment gelegerd geweest. In het revolutiejaar 1917 sloegen de soldaten aan het muiten in de stad, die met ernstige aardappelonlusten en stakingen tot de onrustigste in het land behoorde. Daarvan was nu natuurlijk niets meer te merken en het was ook niet iets wat we tijdens de heemkundelessen op school leerden. We kregen alleen iets te horen over Västerås in het stenen tijdperk, over toen Gustav Vasa de vergadering van de rijksdag hier in het slot had gehouden en over de oprichting van Asea. Daartussen was niets. Ik wist van de soldatenongeregeldheden via opa, tot mijn verbazing beweerde hij niet eens dat hij er zelf bij was geweest. Enkele kazernes waren bewaard gebleven en in eentje was de bibliotheek gevestigd, de marmeren trappen waren zo uitgesleten dat ik er amper op durfde te lopen uit angst dat de treden zouden breken. De rest van de wijk was in de jaren zestig gebouwd.

Wij woonden in Rönnbergagatan 34, op de tweede verdieping aan de straatkant, in een appartement waar de zon nooit moeite had om binnen te komen. Drie kamers en een keuken, huur. Onze flat lag op een heuvel, samen met vier andere witte flats met puntdak van vijf hoog die afstaken tegen de lagere lichtbruine flats die de heuvel omgordden. Beneden was een speelparkje met een touwkabelbaan, waar kinderen konden klimmen en hutten bouwen. Het was maar een paar minuten fietsen naar de crèche en school, en niet ver van de wijk Skiljebo, het centrum en het Mälarmeer.

In de badkamer ontbraken zeep, shampoo en tandenborstels. Aan de haken hingen geen handdoeken. De badkuip was ruw en uitgedroogd omdat hij nooit met water werd gevuld.

Ik heb nooit gezien dat papa onder de douche ging, een bad nam of zich ook maar fatsoenlijk waste, maar dat deed hij kennelijk als ik niet thuis was. Zich scheren nam hij serieuzer, dat deed hij iedere avond na zijn werk en met de metalen kam uit zijn achterzak kamde hij zorgvuldig zijn haar met water. Hij liet zich knippen bij de kapper in het stenen huisje op de parkeerplaats bij de Mimerfabriek. Het ouwemannenplekje van de stad bij uitstek. Een wat oudere jongen bij ons in de flat zei dat mijn vader naar pis stonk. Ik geloofde hem niet.

Ondergoed – lange onderbroeken met hoge taille en witkatoenen nethemden, die hij niet al te enthousiast verschoonde – kocht hij op het marktplein. Zijn doordeweekse garderobe was beperkt: een paar witte overhemden waarvan hij nauwgezet de mouwen opstroopte, een beige en een donkerblauwe gabardine broek. Als papa kleren kocht was het voor 'bijzondere gelegenheden' waarop hij hoopte, maar die nooit plaatsvonden: een roomwit kostuum met roestbruin pochet in het borstzakje, een marineblauwe blazer met een dubbele rij vergulde knopen, een lichtbeige suède jack dat na één winter volledig verpest was. Hoe hij ook droomde, hij belandde nooit in beter gezelschap dan de kring broers en zusters thuis bij oma en opa op Kerstavond, en in hun midden was hij maar een sjofele vent, zonder enige verfijning.

Papa sprak over zichzelf als een 'elegante flierefluiter', een man met stijl en nieuwe snufjes. Zijn sigarettenaansteker was van zilver. Het liefst wilde hij worden gezien als Tony Curtis in *The Persuaders!* – rijk, uitstekend gekleed en goedgebekt. Maar in werkelijkheid was zijn uiterlijk onbestemd, ouderwets. Hij kleedde zich als zanger Jan Sparring en zou nooit van zijn leven jeans of een corduroy broek aantrekken. Begin jaren zeventig vond hij het nog vanzelfsprekend een pak te dragen als hij niet hoefde te werken, zoals arbeiders vroeger deden. Hij wilde alleen dat hij daar meer van had, vrije tijd.

Toen papa jong was leek hij op toneelspeler Lars Ekborg, maar al gauw werd zijn aantrekkelijke gezicht vadsig en door de zware trekken werd zijn guitige blik aan het oog onttrokken. Hij was eerder leuk om te zien dan knap, ook al begreep ik dat anderen niet meteen het mooie van het kuiltje in zijn kin, de wat brede neus, de goedgevormde oren, de blauwgrijze ogen en de enigszins scheve glimlach met het regelmatige gebit zagen. Zijn één meter vijfenzeventig lange, gespierde lichaam was lang een harmonisch geheel, als gegoten uit één stuk. Hij zag eruit als het symbool van de arbeidersbeweging, als het gestileerde beeld van de Arbeider en hij had heel goed model kunnen staan voor welke Sovjet-Russische sociaal-realist dan ook.

Wat mijn vader echt onderscheidde waren zijn handen. Groot, grof, krom en eeltig. De handen van een staalharder. Nog voordat hij vijfendertig werd waren ze al stijf van het werken in de fabriek. 's Avonds probeerde hij zijn vingers recht te krijgen, bang en trots tegelijk dat het niet lukte.

'Moet je kijken! Dit zijn geen handen, het zijn vleeshaken!'

Het speet hem dat hij geen zegelring kon dragen. De keren dat hij zijn gezicht waste, deed hij denken aan een kat: zijn knuisten hadden moeite het water vast te houden en het leek er meer op dat hij zijn wangen en voorhoofd kneedde dan dat hij ze bevochtigde.

Op zijn melkwitte bovenarmen waren twee fregatten getatoeëerd, op zijn linkeronderarm een groot embleem van twee harten met een band, dat in de loop der jaren een beetje rommelig was geworden. Het gebeurde soms dat kinderen uit de buurt vroegen of hij had gevaren – of misschien zelfs in de bak had gezeten – maar de tatoeages had hij laten aanbrengen toen hij in dienst zat en heimwee had. Als hij zijn spierballen liet rollen, kregen de scheepjes wind in de zeilen.

'Span je spieren eens, papa!'

Dat deed hij graag.

'Niet iedereen heeft zulke spierballen! Dat hebben alleen Pippi's vader en de jouwe!'

Een veel groter probleem dan zijn handen waren zijn zere voeten, net zo plat als het formicablad in de keuken. Hij stond de hele dag aan de ovens en zijn voeten werkten om zijn armen de kracht te geven het staal te bedwingen. Hij liep in grove werkschoenen die Metallverken uit veiligheidsoverwegingen verstrekte. Onder het vosbruine leer zat een beschermende stalen neus, mocht hij onverhoopt een zwaar stuk gereedschap laten vallen of het hete staal waarmee hij werkte. Hij tekende voor één of twee paar per jaar, die hij altijd droeg, op het werk en na het werk, ook in de zomer. Als hij zijn schoenen uittrok, verspreidde zich een enorme stank. Ze bezorgden hem blaren zo groot als een tweekronenstuk. 's Avonds sneed hij ze open met een zakmes en drukte de inhoud leeg op een handdoek die stijf stond van oud blaarvocht.

Als papa er mooi uit moest zien, trok hij een paar dunne, gladde lage schoenen aan. Als het heel slecht weer was met een paar oubollige overschoenen eroverheen.

Op een dag dat hij zijn loon had gekregen, gingen we naar Grimaldi. De schoenenwinkel zat in een keldergarage in Viksäng en er hing een bedwelmende leerlucht. Mijnheer Grimaldi begroette ons met krassende stem. Mevrouw Grimaldi glimlachte haar goudgerande tanden bloot. Hun Zweeds was moeilijk te begrijpen.

Papa keek en voelde, woog de schoenen in zijn hand. Probeerde er een paar met de schoenlepel, als een ouwe man, en onthulde zijn kapotte sokken. Mijnheer Grimaldi prees hoe mooi de schoen stond, papa fronste zorgelijk zijn voorhoofd en gaf de schoen terug. Mijnheer Grimaldi kwam met iets anders, toonde een magnifiek staaltje werk uit Italië, papa paste opnieuw en schudde zijn hoofd. Ze waren te duur. Hij deed net of ze niet pasten.

'Schoenenjoden!' mopperde hij op de fiets onderweg naar huis. 'Honderddertig keroooonen voor een paar schoenen!'

Geld heette 'lall' maar als iets te duur was gaf hij de prijs aan in kronen, die hij op z'n Västmanlands uitsprak: kerooonen. Veertien keroooonen voor zo'n stukkie kaas! Waarom kost alles niet gewoon negen negentig?

Toch kocht hij schoenen voor mij. Witte sandalen die ik niet wilde hebben vond hij noodzakelijk. Ik had winterschoenen nodig, kaplaarzen, Zweedse klompen en gymschoenen. Hij kocht Italiaanse sandalen.

Ik ging net zo slecht gekleed als papa en omdat hij niets tegen me zei, waste ook ik me niet en poetste nooit mijn tanden.

Geld voor levensonderhoud ging op aan andere dingen dan kleren, afgezien van de drie keer dat hij een jas voor me kocht. Toen ik op de crèche zat kreeg ik een kanariegeel jack met onder aan de mouw synthetisch bont, dat al gauw zwaar en bruin werd in de natte zandbak. Toen ik in de onderbouw zat kocht hij een lichtgrijs suède jack, dat al gauw verpest was door de regen en sneeuw. In groep acht heb ik hem gedwongen mee te gaan naar H&M zodat ik zelf een gewatteerd jack kon uitkiezen. Hij was er nooit eerder geweest en zei dat het een verschrikkelijke winkel was, maar wel verbazingwekkend goedkoop. We waren allebei tevreden toen we naar huis gingen, al voelde hij zich nog dagenlang belabberd door alle spiegels, felle lampen en dichtgeplamuurde verkoopsters.

Zijn oudste zus Majken kocht kleren voor me bij Strands, die dure kinderkledingzaak in Vasagatan. Degelijke Zweedse kwaliteit, maar zo anders dat ik er toch vreemd uitzag: een zwarte gabardine broek met persvouw, Schotse rok, matrozenpakje, bruine kaplaarzen met hak. Loden jas.

Majken waste voor ons. We leverden de vuile was aan in een papieren tas en kregen hem schoon en gestreken weer terug. Majken zeurde om meer wasgoed, ze vond dat er ook lakens en handdoeken bij moesten zitten, maar de kleding díé we hadden, droegen we en beddegoed gebruikten we niet.

De mensen die papa hadden gezien en hem beoordeelden naar zijn uiterlijk, verbaasden zich als ze bij ons thuis kwamen. Papa was altijd aan het poetsen. Hij zeemde ramen, stofzuigde, nam de radiatoren af en ruimde op. Als hij niet kon slapen, zette hij de salontafel in de boenwas. Dat mocht ik tegen niemand zeggen.

In de hal met het dieprode behang lag goudbeige vaste vloerbedekking, aan het plafond hing een rode lantaarnlamp aan een grove messing ketting. In de woonkamer stond al jaren een mosgroen bankstel van zacht, breed ribfluweel. Ik vond het mooi, papa zei dat het lelijk was. De kleinere tweezitsbank was voor mij, de fauteuil voor papa. Over de grote bank, waarop niemand zat, lag al jaren een lap gedrapeerd nadat Sundstedt er op een avond met een sigaret in zijn hand in slaap was gevallen. De vuurkegel viel op de bank en het schuimrubber onder het corduroy verschroeide tot een stinkende krater. Ik zat op de grond toe te kijken terwijl papa in de keuken was.

Mijn vader wilde graag een Engels bankstel in robuust leer maar permitteerde zich slechts een bank in roestbruin fluweel op afbetaling. Die was pas een paar weken oud toen door mijn toedoen Hubbabubba-kauwgom aan de kussens bleef plakken. Bij een andere gelegenheid zette hij zijn elleboog in een stuk Bugg-kauwgom en verpestte zo zijn blazer.

Aan de ene lange muur hing jarenlang een schilderij van een zeilboot bij zonsondergang. Later werd dat vervangen door een elandenvrouwtje met kalfjes bij zonsopgang; dat schilderij hadden we geërfd van opa's halfbroer. De lijst was gemaakt van oude sigarenkistjes en papa zei dat het waardevol was. Hij dacht van allerlei dingen dat ze op een dag van onschatbare waarde zouden blijken te zijn: het Russische blikje met thee, de manchetknopen van de Skultunafabriek, de kerstman die ik mijn eerste Kerst van oom Jarl had gekregen. Op waardevolle dingen moesten we zuinig zijn.

De boekenkast was van mahonie met een messing omlijsting, maar op een enkel exemplaar na ontbraken de boeken. Je kreeg nu niet bepaald de indruk dat papa iedere avond probeerde wat te lezen. *Nacka's show,* met een echte handtekening van voetballer Nacka Skoglund, stond naast *Offerrook* van Jan Fridegård en een paar jaarboeken met nieuws en sportgebeurtenissen. Boeken die niet mooi waren werden weggestopt. De planken werden gevuld met prullaria op geborduurde kleedjes. In de onderkastjes verdrongen de verlovingscadeaus van papa en mama elkaar: fleurige mokkakopjes, cocktailattributen, een ijsemmer, een rode karaf die een deuntje liet horen als je inschonk. Een Tsjechisch servies met een verguld randje. Onaanraakbare zaken die we allebei negeerden.

Er hing een kroonluchter aan het kunststof plafond, dat in de loop der jaren vervormd raakte door de hitte van de gloeilampen en grote kierende naden liet zien; dit was nu niet bepaald het stucwerk dat papa voor ogen had gehad. De gordijnen in alle kamers waren op maat gemaakt door een winkel bij de Apothekersbrug. In het woonkamerraam viel vol, donkerrood fluweel over een opengewerkt nylon glasgordijn, vergeeld door de nicotine. De schemerlampjes in het raam waren van kristal.

Papa zei dat ons raam als vakje 24 in de adventkalender was. Hij fantaseerde dat de mensen langs ons huis liepen, naar boven keken en dachten dat daar een flinke huisvrouw moest wonen.

'Allemachtig, wat zullen ze opkijken, die wijven, als ze horen dat er helemaal geen vrouwenhand hier in huis is, maar dat meester-staalharder Leif Andersson hier woont!'

Hij was ervan overtuigd dat hij de buurvrouwen tot waanzin bracht omdat ze geen kans zagen hun ramen net zo smaakvol ingericht te krijgen.

Om dezelfde reden creëerde hij iedere zomer een prijzige bloemenpracht op het balkon. 's Avonds bleef hij soms op het balkon staan in de hoop voorbijgangers de bloemenzee te horen bewonderen. Hoe goed papa ook was met planten, binnenshuis werd de ene potplant na de andere vervangen door iets van plastic of zijde, dat in de loop der tijd verbleekte in de zon. Kunstplanten waren perfect van vorm en betrouwbaar.

Het stereomeubel was ook van donker mahonie. Daar stonden onze zeventien lp's: twee van Cornelis Vreeswijk, twee van Harry Belafonte, twee van Magnus en Brasse, één van Evert Taube, Stefan Demert, Roffe Bengtsson, Hasseåtage, Lill Lindfors en Simon and Garfunkel. Mijn platen waren van ABBA, Baccara, het Don Kozakkenkoor, Gösta Knutsson leest Pietje Kortstaart en Egon Kjerrmans kerstplaat. We draaiden ze allemaal, behalve Simon and Garfunkel, want die was van mama. Gangstermuziek, zei papa, bijna net zo crimineel als de Beatles – die langharige junkies die ze ook goed had gevonden – onbegrijpelijk. Nog erger was ABBA – die vier blèrende blaaskaken die rijk en beroemd waren geworden alleen maar door er schaapachtig uit te zien. Geduldig hield hij de Waterloo-plaat in zijn hand als we naar de voorschoolse opvang fietsten, hij begreep maar niet waarom kinderen niet wilden playbacken op Lill Lindfors.

In de slaapkamer stond een bed dat verlangde naar mama. Toen papa Sonja ontmoette – of heette ze Anita – kocht hij een nieuw bed van zwarte teak met een messing omlijsting. Het hoofdeinde was bekleed met zalmroze geschoren fluweel en had een ingebouwde wekkerradio. Aan de wand hing een Bruno Liljefors-kopie van een vos die een kip vangt. Papa speculeerde over hoe waardevol die wel niet zou zijn. Ik hield mijn mond over het feit dat ik precies dezelfde afbeelding voor slechts een paar kronen in de kringloopwinkel beneden bij de rivier de Svartån had gezien.

Papa kwam op het idee de keukenkastjes te bekleden met een donkerbruine mahonie-imitatie in plakplastic. De rollen waren duur en het was lastig het plakplastic aan te brengen zonder dat er luchtbellen ontstonden. Hij deed een deurtje per keer met maanden tussenruimte en slaagde er niet in de klus af te krijgen voordat het plakplastic uit de handel werd genomen. De helft van de kastjes was bekleed terwijl de andere helft nog hun originele blauwgroene kleur had, totdat vijftien jaar later een volledige renovatie van het huizenblok papa eindelijk van het project verloste.

De kastjes waren nagenoeg leeg. We hadden geen meerdelig servies, plastic bakjes voor etensresten of huishoudelijke apparaten. In één keukenkastje lagen boeken, in een ander stonden mijn oude zuigflessen en een oceaanstomer die papa op schaal had nagebouwd. Er lagen ook twee pornopockets met gedetailleerde seksstandjes en ontblote geslachtsorganen. Met Camilla had ik afgesproken dat ik de boekjes zou meenemen naar de naschoolse opvang. Ik stopte ze onder mijn jack zonder dat papa het zag, maar de juffen ontdekten alles. Toen papa mij kwam ophalen, lieten ze hem zien wat ze in beslag hadden genomen. Het was gênant voor ons allebei, maar vooral voor hem. Thuis vroeg hij verdrietig waarom ik het had gedaan, maar ik moest het antwoord schuldig blijven. Hij legde ze eerst terug in de kast, toen pakte hij het ene boekje en stopte het in de vuilnisbak. Waar het andere is gebleven, weet ik niet. Hoe ik ook zocht, ik kon het nergens vinden.

Mijn kamer zag er niet uit zoals andere kinderkamers. Papa vulde hem met meubels waar hij zelf op uitgekeken was. Mijn speelkameraadjes hadden mooie bureautjes, spreien met volants en witte planken voor snuisterijen die vol stonden met poppen van de Canarische Eilanden. Aan hun muren hingen posters met zanger Björn Skifs en snoezige jonge poesjes onder badlakens. In mijn kamer stonden een oude boekenkast en een salontafel die papa niet wilde wegdoen. Op de vloer lag een geeloranje geweven kleed. Jarenlang werd de kamer gedomineerd door een bedbank, zo zwaar en grijs als een pantserkruiser, die we van opa's halfbroer hadden overgenomen – die van het elandenschilderij. Toen papa zich niet lekker voelde in zijn eigen bed hebben we er een tijdje in geslapen. Toen hij later het wekkerradiobed kocht, heeft hij zijn bed doormidden gezaagd en mama's helft in mijn kamer gezet.

Het enige in mijn kamer wat verraadde dat er een kind woonde, was het speelgoed en een poppenhuis van Lundby. De meisjes op de binnenplaats hadden ook poppenhuizen, ze hadden er zelfs verlichting in. In mijn poppenhuis ontbraken verlichting en poppen, het bestond alleen uit verschillende interieurs. Ik maakte voortdurend nieuwe opstellingen. In hun huizen woonden bleekzuchtige kerngezinnetjes van zacht rubber met staaldraad van binnen die niet zelf konden blijven staan. Een vader in overhemd, een moeder in rok, een grote broer en een klein zusje. De moeder kookte eten. De vader lag vergeten op de grond en deed niets.

En nu naar bed! zei de moeder. Ik wil niet! antwoordden de rubberstaaldraadkinderen. Tandenpoetsen! zei de vader, die ineens tot leven was gekomen. Ik wil niet! antwoordden de kinderen.

Ik begreep dat normale ouders zo tegen hun kinderen praatten. Zo praatte papa niet. Alleen snoep op zaterdag, bedtijd, zakgeld, regenbroek aan en je mag pas naar buiten als je je kamer hebt opgeruimd waren onbekende regels voor ons allebei. Hij zeurde nooit, schreeuwde niet, was zelden geïrriteerd.

In mijn kamer stond ook een aquarium met black molly's en zwaarddragertjes. We voerden de vissen zo vaak dat het aquarium een ecologische ramp werd en toen het voer op was, vergaten we nieuw te kopen. Geregeld slibde het aquarium zo dicht dat we zelfs niet meer konden zien of de vissen dood of levend waren. Het was leuk om de vissen door de wc te spoelen. Ik hield niet van dieren en was doodsbang voor konijnen, hamsters en marmotten. Bij speelkameraadjes thuis krulde ik mijn tenen onder mijn voeten om niet te worden gebeten en als ze vroegen of ik hun huisdier wilde aaien of vasthouden, zei ik altijd nee. Papa zei dat dat heel verstandig was, want als ze de kans kregen beten die harige monsters zowel je armen als benen af.

Ik nam zelden speelkameraadjes mee naar huis en degenen die wel een voet over de drempel zetten, keken altijd met grote ogen naar onze gordijnen, kroonluchters en sierkussens. Dat hadden ze niet achter mijn vader gezocht! Maar ze verbaasden zich over het aangekoekte, bleke, dunne braaksel rond het grove afvoerzeefje in de gootsteen. En waarom hebben jullie geen handdoeken in de badkamer?

Op de binnenplaats wemelde het van de eekhoorns. Ze zaten in de dennenbomen voor het woonkamerraam en renden pijlsnel langs de ruwe gevel omhoog. Op een zaterdagochtend sprong er een eekhoorn naar binnen door het bovenraampje en begon te eten van een cake die op het aanrecht stond. Met ijverige bewegingen peuzelde hij van de goudgele lekkernij. Toen sprong hij weer naar buiten, zonder iets om te gooien.

Papa leefde op en zorgde ervoor ieder weekend een cake in huis te hebben. Als oma ons niets meegaf, kocht hij zelf een pak cakemix dat hij mengde en bakte met een nauwgezetheid alsof hij een soufflé voor een galadiner bereidde. Hij gedroeg zich alsof hij verliefd was: stond vroeg op in de weekenden en ging zitten wachten.

In het ochtendlicht glansde de pels van de eekhoorn zo wonderlijk mooi, een kleurenpalet in koperrood en bruin dat ook voorkwam in mama's lange paardenstaart en dat ik maar niet kon weergeven op papier, hoe vaak ik het ook probeerde.

Ik was een beetje bang voor het diertje. Het was een levend wezen dat ons huis betrad, waar verder nooit iemand kwam zonder een speciale reden, zoals mij ophalen of terugbrengen. Ik begon te geloven dat de eekhoorn een boodschap had, dat hij ons op een dag iets zou meedelen over de wereld buiten, iets wat we absoluut moesten weten. Mijn fantasieën werden alsmaar sterker en ten slotte was ik ervan overtuigd dat ik hem op een dag op de keukentafel zou aantreffen, net als de duif in *De gebroeders Leeuwenhart*, met de mededeling dat het tijd was.

Tijd voor wat?

De dood? Opbreken? Verhuizen?

De eekhoorn bleef altijd maar even en toen het zomer werd, verdween hij. Papa liet het bovenraampje openstaan ongeacht het jaargetijde, in de hoop dat het diertje zou terugkomen, maar het bleef weg. Hij hield op met cake bakken en kocht een kleine siereekhoorn uit Hongkong, die hij op zijn nachtkastje zette.

Het eerste wat papa deed als hij thuiskwam, was de kristallen schemerlampjes aanknippen in het woonkamerraam, meer omwille van de buurvrouwen dan voor zichzelf. Hij had zo'n haast dat hij vergat zijn schoenen uit te trekken. Als hij alle lampjes had aangeknipt en de boodschappen in de koelkast en keukenkast had opgeborgen, pakte hij zijn scheerapparaat om zijn rossige baardstoppels van één dag te scheren.

De rest van de avond brachten we voor de tv door. Ik deed mijn eigen dingen, hij zat in de fauteuil en las *Aftonbladet* van achter naar voren. Dronk bier en rookte.

Papa pafte twee pakjes Gula Blend per dag. Hij hield de sigaret tussen zijn wijs- en middelvinger geklemd. Bij ieder trekje kromde hij zijn hand rond zijn mond, bij het laatste trekje hield hij de sigaret tussen zijn duim en middelvinger en als hij de rook uitblies, kneep hij zijn ogen een beetje dicht – zoals Humphrey Bogart ongeveer. Als het gas in de zilveren aansteker op was, zette hij de sigaret rechtop op de elektrische kookplaat. De sigaret viel om. Hij raapte hem op, zijn vingers kwamen gevaarlijk dicht bij de intense hitte. De kookplaat werd steeds roder en ten slotte zwart van de hitte. De sigaret viel om. Hij zette hem overeind. Zo ging hij door tot de sigaret vlamvatte. Iedereen zou zich aan de gloeiend hete kookplaat hebben gebrand, ik stond ernaast en schreeuwde dat hij voorzichtig moest zijn. Het liet hem koud.

'Ik ben meester-harder, dat weet je toch?'

Bier dronk hij uit gekraste Duralex-glazen. Als het blikje leeg was, kneep hij het fijn met een dof gekraak, de oude soort harde blikjes verfrommelde hij alsof het lege snoepzakjes waren. Zo sterk was hij, mijn vader. De sterkste van de hele wereld.

Ik rommelde voor de tv. Sorteerde plakplaatjes en film-sterren, haakte, tekende of schreef. Als papa de krant uit had, wilde hij wel een spelletje doen. Zwartepieten of kwartetten vond hij niet leuk, maar hij had niets tegen een spelletje sterhalma, casino, pesten of zwart of rood. Geen van beiden vonden we het belangrijk om te winnen. Toen ik wat ouder was leerde hij me schaken, hij vond het wel jammer dat ik er niets aan vond.

In een keukenla lag een oud, bijzonder kaartspel, *kille*, nog uit de tijd dat mama thuis woonde en het huis vol zat met vrienden die langskwamen. Ik bewonderde de mooie kaarten met de krans, nar en edelman, maar papa vond het vervelend als ik hem naar de betekenis van de kaarten vroeg. Vanavond niet, zei hij iedere keer. Het is er nooit van gekomen, die kaarten hoorden bij een ander leven.

Als ik geluk had wilde papa tekenen. Op het vel papier groeiden magische tekeningen van bloemen, olifanten, Chinezen en politicus Gösta Bohman. Het ging bliksemsnel. Als hij tekende, kreeg de anders zo stijve hand een zeldzame zachtheid over zich. Het verveelde hem al gauw en na een paar minuten legde hij het potlood weg. Als ik hem vroeg door te gaan, deed hij alsof hij in beslag werd genomen door de krant.

Hij schepte graag op over zijn tekentalent en als voorbeeld liet hij een potloodtekening zien van een havenwerker die iets ter zijde van zijn werkmaten staat. De tekening had hij gemaakt in de lange nachten waarin hij zich afvroeg waar mama mee bezig was en waarom ze niet naar huis kwam. Geluidloos boorde ik mijn gezicht in de zachte armleuning van de corduroy bank. Vervolgens liep ik naar papa in de fauteuil, ging op de grond zitten en legde mijn hoofd op zijn schoot. Hij boog zich voorover en fluisterde in mijn haar.

'Zullen we een potje kaarten?'

In groep drie werd aan de ouders gevraagd of ze een tekening konden maken voor een wedstrijd van de campagne *Stop vandalisme!*.

'Mijn vader gaat een heel mooie tekening maken,' zei ik, 'want hij kan hartstikke goed tekenen.'

De juf had bepaalde verwachtingen, want papa's handschrift was het mooiste wat ze ooit had gezien. Dat wist ze van een formulier over welke kinderziektes ik had gehad. Maar nicht Rosita had de gegevens ingevuld, en niet mijn vader. Hij was zo bang dat hij verkeerd zou spellen, dat hij haar hulp had ingeroepen.

Papa beloofde iets te tekenen. Avond na avond zat hij met potlood en papier voor zijn neus, een bierglas ernaast en een sigaret in zijn hand zonder een streep te zetten.

Ik mocht net zo lang opblijven als ik wilde. Klaas Vaak en de Fabeltjeskrant betekenden geen kinderbedtijd. Papa had geen behoefte aan een moment voor zichzelf 's avonds en het kwam niet in hem op dat ik meer slaap nodig had dan hij.

We gebruikten de avonden om te praten. Over hoe het was om arbeider te zijn, hoe goed ik was op school, over voetballer Nacka Skoglund en het socialisme. Over mama. Belangrijke dingen, dingen waar alleen wij iets over wisten.

Ik wilde de hele tijd bij hem zijn. In de winkel hield ik zijn broekspijp vast, achter op de bagagedrager omarmde ik zijn rug, als hij naar de wc moest ging ik mee. Ik sliep dicht tegen zijn lichaam.

Tandenpoetsen of ons wassen deden we niet voor het slapen gaan. Papa sliep in zijn lange onderbroek, liefst met zijn sokken nog aan, en ik in mijn onderbroek. We gebruikten nauwelijks beddegoed. Een dekbed zonder hoes, meestal lagen we direct op het Dux-matras. De kussens zaten in smoezelige slopen, maar dat was vooral omdat de veren ons dan niet zouden prikken.

Tot mijn tiende sliep ik in hetzelfde bed als papa. Zijn

grote lichaam en mijn tengere lijfje deelden negentig centimeter. Mama's kant van het bed werd door geen van beiden vrijwillig aangeraakt. Toen ik een keer een hersenschudding had opgelopen en meer plek nodig had, sliep papa in de fauteuil. Iets anders was ondenkbaar.

Hij las hardop voor uit *Pietje Kortstaart*, H.C. Andersen en Lennart Hylands ABC. Ik legde mijn neus tegen zijn schouder en snoof zijn zweetlucht op. Als ik opkeek, kon ik amper zijn gezicht zien, zo groot was zijn schouder. Hij streelde me vluchtig over mijn haar.

'Welterusten, makker.'

'Welterusten, maatje.'

Zijn rechterduim hield ik stevig vast. Lena, een knuffel van lichtblauwe badstof die papa ooit bij een benzinestation had gekocht, klemde ik onder mijn arm. Ze was overal kapot, de lichtgele schuimrubber stukjes vielen eruit, waardoor ze steeds magerder werd. Ze zat onder de etensresten en vlekken van oma's gemorste keteltjeskoffie. Iedereen klaagde erover dat ze zo oud en goor was, maar ik verdedigde haar en mij.

Ik sliep onrustig en schopte papa in mijn slaap, de hele nacht door. In zijn buik, zijn rug, tegen zijn bovenbenen. Als hij mijn benen wegduwde, schoven ze meteen weer terug. Schop alsjeblieft niet zo vannacht, zei hij iedere avond, ik word er doodmoe van. Geen nacht kon hij ongestoord slapen.

WE KREGEN ZELDEN bezoek, maar 's zomers kwamen Ersa en Sune bij ons langs. Ze waren vrijgezel en woonden in Kärrbo. Papa had ze leren kennen toen hij voetbalde bij de Skiljebo Sportklubb. Ze draaiden de dop van hun fles zonder elkaar iets te vertellen te hebben.

Soms kwam Lola langs, een van de excentrieke halfbroers van opa. Lola was de liefste man van de wereld en altijd vrolijk, ook als hij dat eigenlijk niet was. Hij speelde op een stel botten met een bezetenheid die een buitenstaander angst kon inboezemen, en wiegde met zijn lichaam alle kanten op. Hij kon abrupt stoppen om vervolgens te gaan balderen. Eerst was hij het wijfje dat een beetje koket door de keuken liep met haar staart in de wind en deed alsof ze naar voedsel zocht. Daarna veranderde hij in het mannetje. Zijn lichaam groeide door de gefantaseerde verenpracht, hij legde het hoofd in de nek en bracht een keelgeluid voort waarvan ik dacht dat hij erin zou stikken. De hele tijd hield hij zijn handen voor zijn geslacht. Papa was Lola al gauw zat en liet hem alleen in de keuken zitten. Ik bleef bij de tv. Als ik naar de wc moest keek ik de keuken in, waar Lola zorgelijk tegen het glas zat te praten waaruit hij dronk. Late lenteavonden haalde hij ons op in zijn Opel zonder benzinemeter. Dan gingen we op zoek naar elanden en vossen.

Als de Jehova's getuigen aanbelden, praatte papa een poosje met ze en nam *De Wachttoren* in ontvangst zonder dat hij zelf wist waarom. Hij voelde zich blijkbaar 'gezien' door de vriendelijke man met grijze hoed die hem volhardend bleef bezoeken. Belangrijk.

Eén keer per jaar kwamen ze van de bibliotheek in Viksäng op huisbezoek om geleende boeken terug te halen. We hadden stapels van zulke boeken, onze volledige verzameling over Pietje Kortstaart was van de bieb. Papa keek spijtig naar de bijziende bibliothecaresse terwijl ze haar lijst met onze nalatigheden tevoorschijn haalde.

'Hier staat dat je vorig jaar *Raskens* van Vilhelm Moberg hebt geleend. We schelden de boete kwijt als we op huisbezoek komen om de boeken in te nemen.'

'Aha ... maar ik heb het boek helaas uitgeleend aan mijn broer.'

'Je broer? O ... en hoe zit het met Ivar Lo-Johansson, Jan Fridegård, Bo Balderson ...'

'Het spijt me, maar die heeft hij ook.'

'*Pippi Langkous in Taka Tuka Land* ... *Pietje Kortstaart*, vier delen ...?'

'Nee, sorry, die heeft hij ook. Mijn broer was ziek en had iets te lezen nodig. Maar als je over een paar dagen nog een keer komt, heb ik ze vast terug.'

'Tja ... deze service geldt alleen deze week ... je zult ze zelf moeten komen brengen. Liefst zo snel mogelijk, er zijn ook andere mensen die ze willen lenen.'

'Mooi, dat is dan afgesproken!'

Zijn gêne over het te laat terugbrengen van de boeken dwong hem tot zulke uitvluchten: in werkelijkheid lagen ze in de keukenkast of in de slaapkamer.

Als ik jarig was, kwamen oma en opa, papa's zusters en schoonzusters en tante Nina en oom Guido van mama's kant op bezoek. Het was eind mei, oma was op haar zondags gekleed in de lichtblauwe mantel die ze ook had gedragen op de bruiloft van mama en papa. Het was vreemd om oma ergens anders te zien dan in de keuken in Björkgatan – ze kwam zelden buiten of bij ons thuis. Is dit oma? dacht ik verbaasd toen ze zich van haar zwarte uitgaansschoenen ontdeed, waarin ik haar nooit had gezien, en mij een bosje tulpen, witte narcissen of blauwe druifjes uit de tuin gaf.

Majken zette een slagroomtaart op tafel en spoorde ons

aan een stukje te nemen. Ik zei dat ik taart niet lekker vond.

'Gekkie, natuurlijk vind je het lekker!'

Lieve Åsa, 4 jaar stond er op het marsepeinen kaartje. *Lieve Åsa 6 jaar, Lieve Åsa 10 jaar ... Gefeliciteerd flinke meid* stond er op de envelopjes met verjaardagsgeld. Iedereen, ongeacht de leeftijd, kreeg geld.

Nina en Guido kwamen met 'heerlijkheden': zilveren sieraden, plateauschoenen, horloges, boeken, Monopoly, de *Pas op! kinderen*-plaat van Magnus & Brasse. In 1978 werd ik tien en kreeg een WK-voetbal. Die was zo mooi en waardevol, zei papa, dat ik de kinderen op de binnenplaats er niet mee mocht laten spelen. Het beste was om hem helemaal niet aan te raken, vooral niet met je voeten.

De telefoon ging zelden, maar als mama opbelde, huilden we allebei. Het was makkelijker voor haar om een kaartje te sturen. Ik had een grote verzameling ansichtkaarten gestempeld in Eskilstuna, veel van katten met plastic ogen die konden rollen. Allemaal met dezelfde groet: 'Kus en knuffel van mama!'

HET WAS OP een winteravond dat mama bij ons wegging. Misschien was het een zondag.

Ze is bijna het hele weekend weg geweest als we haar de sleutel in het slot horen steken. We lopen haar tegemoet in de lange smalle gang, maar in plaats van gedag te zeggen en haar jas uit te trekken perst ze zich langs ons heen om een koffer uit de kast te pakken.

Ze zegt iets tegen papa.

Hun stemmen worden luid.

Papa tilt me vlug op en zet me hardhandig op de bank in de woonkamer. Hij zegt dat ik daar moet blijven zitten omdat mama krankzinnig is geworden. Volledig krankzinnig is ze.

Ik voel de duisternis van het grote raam achter me en tegelijkertijd zie ik mama en papa in het halletje. Hoor hen.

'En het meiske dan?' vraagt papa keer op keer.

Het meiske? Het meiske!

Hij pakt haar vast, wil haar tegenhouden. Ze schudt hem af, loopt naar de kledingkast en grist haar kleren eruit, die ze in de open koffer op de grond gooit.

Ik blijf doodstil zitten, zoals papa heeft gezegd. De bank lijkt groot maar de brede fluwelen strepen in het mosgroene corduroy zijn zacht. Mijn benen steken onder mijn rok uit en de witte maillot is pluizig op de knieën, uitgelubberd en vol lucht bij de tenen.

Ineens sta ik bij mama in het halletje. Ze zit op haar hurken en omhelst me. De lange kastanjebruine paardenstaart ligt op haar rug.

Ze zegt dat ze weer weg moet en dat ze me niet mee kan nemen. Tranen banen zich een weg naar beneden uit haar donkere ogen, over haar sproetige wangen, naar haar grote, rode mond. Ze is achtentwintig jaar. Papa is twee jaar ouder, maar niet meer dan een jongen. Beneden zit Lasse te wachten in een duifblauwe Saab, heb ik later begrepen.

Januari 1972.

De datum schrijnde voortdurend als een priemende pin van ijskoud staal in papa's lichaam, maar we spraken er nooit over. Ik zou die lente vier worden, en ook al zou ik die keer dat mama thuiskwam om meteen weer weg te gaan nooit vergeten, ik wende er snel aan om samen met papa te zijn. Alsof het altijd zo was geweest.

Naderhand kwamen de herinneringen boven aan ons leven samen met mama. Herinneringen waarvan ik niet wist wat ik ermee aan moest. Ik wilde ze niet kwijtraken, maar was evenmin in staat ze levend te houden. Om ze niet te laten verdwijnen dwong ik mezelf ze regelmatig stuk voor stuk door te nemen. Op de buitenschoolse opvang zat ik onder het aanrecht, dat was omgebouwd tot hut, en telde mijn herinneringen zoals een hond schapen hoedt. Toen ik elf was heb ik ze opgeschreven – sommige waren niet meer dan flarden – in het hemelsblauwe dagboek met de duif dat ik van papa had gekregen. Ik nummerde ze. Tweeëntwintig stukjes van een ongelegde puzzel, waarvan duizenden stukjes ontbraken. Niet aan denken, vermaande ik mezelf, maar ook niet vergeten. Als je ze vergeet dan sterf je. Als je eraan denkt, kun je niet leven.

Ik herinner me hoe we met z'n drieën zitten te eten en mama op de witte stoel achteroverwipt om een mes uit de keukenla achter haar rug te pakken en ik bang ben dat ze zal vallen en zich pijn zal doen.

Op een middag vanuit de crèche onderweg naar huis wil ik mama een hand geven, maar allebei haar handen zijn bezet door boodschappentassen. Vanaf Trumpeten, de verlopen buurtwinkel die binnenkort zal sluiten, heeft ze gezwegen en naar de grond gekeken. Ik vraag of ze verdrietig

44

is, ze antwoordt dat ze zo'n zware last te dragen heeft. Ik geloof haar niet.

Papa en ik zitten in de fauteuil en horen hoe mama in de keuken eten aan het koken is. Hij rookt en we lachen en hebben zo'n lol dat we nauwelijks uit onze woorden kunnen komen. Hij zegt dat hij naar de kiosk gaat en vraagt of ik ook iets wil hebben. Ik zeg dat ik chocola met vogels erop wil. Hij begrijpt me niet en ik leg het uit. De wikkel is geel, de chocola verdeeld in blokjes en op ieder stukje staat een dikke vogel afgebeeld. We zijn allebei opgelucht als hij eindelijk begrijpt wat ik bedoel.

Op een avond zit ik op papa's arm hysterisch te huilen omdat ik peuken uit de asbak heb gegeten en mijn hele mond vol bittere as zit. Mama huilt ook, scheldt en liefkoost, zegt dat ik toch weet dat ik dat niet mag doen, dat ik het eerder heb gedaan. Papa zegt niets, zijn witte overhemdkraag is smerig van grijze as en snot. Vastgeklampt in zijn armen ontdek ik een schilderij in het halletje dat ik niet eerder heb gezien en ik voel dat hij het prettig vindt om mij te troosten als mama zo verontwaardigd is.

Wat papa zich herinnerde van die jaren hield hij het liefst voor zich. Hij heeft altijd antwoord gegeven op alles wat ik vroeg, maar toen ik zo groot was dat ik zijn antwoorden begreep, ben ik opgehouden met het stellen van de belangrijkste vragen. Ik was bang om te weten hoeveel hij wilde of kon vasthouden van dat wat hem er hardnekkig aan herinnerde dat hij ooit een gelukkig man was geweest.

Toen mama wegging, nam ze alleen wat kleren mee. De flat was vol sporen van haar. In de slaapkamer stond een witte kaptafel voor sieraden en geurtjes. Nu was het een dood meubel dat er vooral vreemd uitzag. De plek die ooit haar slaapplaats was geweest, vermeden en negeerden we, maar ik herinner me hoe mama en ik daar over de hond Pollux lagen te lezen.

Aan een haakje in de keuken hing papa's trouwring. Het kruidenrekje verraadde dat hier tot voor kort iemand had gewoond die kon koken.

Boven op de koelkast stond een oud pak Kellogg's-cornflakes met die vrolijke haan. Het pak kwam tevoorschijn toen we naar iets anders op zoek waren en per ongeluk het keukenkastje opendeden – een reliek uit de tijd dat iemand ontbijt klaarmaakte. Papa kon zich er niet toe zetten het pak weg te gooien, zo liet hij ook mama's rode kerstroos staan. Hij zei dat het een foeilelijke plant was en een belediging van al het levende op aarde. Bij vlagen probeerde hij de plant te laten verdrogen, maar dan voelde hij zich ineens weer schuldig en kwam op het allerlaatste moment met het plantengietertje aanrennen. Vervolgens probeerde hij de plant te laten verzuipen.

'Het is verdomme niet te geloven, ga je dan nooit dood, rotplant!'

Ten slotte berustte hij en liet de plant in het hoekje staan waar mama hem ooit had neergezet.

Strafhoek. Altaar.

In de boekenkast – op de plank met prullaria – stond een album met foto's van hun trouwerij en hun leven samen, met onder andere een foto waar ze net het stadhuis uit komen en papa trots het trouwboekje in zijn binnenzak stopt. Het is 1967 en mama, net vierentwintig, houdt een boeket gele rozen in haar hand.

Als jonge knul had papa Skiljebo onveilig gemaakt met zijn charmes, en mama had eindeloos geduld moeten hebben voordat ze zijn aandacht wist te vangen. Hij was een paar jaar ouder en ging al uit in feestzaal Rotundan in het Folkets Park, terwijl zij nog thuis moest blijven. Ze wist dat hij langs haar huis zou komen en stond op de uitkijk – alleen maar om hem in gezelschap van een ander meisje langs te zien lopen en hallo te horen zeggen. Ze hadden jarenlang verkering voordat ze trouwden. Ik was het kind waar verlangend naar was uitgezien, geboren binnen het huwelijk. Nu hing de trouwjurk, een klassiek kort model, beneden in de berging.

De vierkante foto's in het trieste album waren genomen met een zwarte kodak, die nu in een la in de keuken lag. Er zat een filmrolletje in dat papa niet wilde laten afdrukken, waarschijnlijk omdat het foto's van mama zou prijsgeven. Hij had er niets op tegen dat ik met het toestel speelde. Toen ik vroeg of ik het in het aquarium mocht houden om foto's van de vissen te nemen, zei hij dat dat waarschijnlijk niet ging lukken, maar tuurlijk, probeer maar.

Het was toch vooral ik, die hem aan mama deed denken. Ik was ontegenzeglijk haar dochter en ik leek op haar. Het vuurrode haar, de sproeten, de stevige kuiten, de grote rode mond, de bruine ogen en de klaterende lach. Afgezien van een zeiloor dat verwantschap met opa van vaderskant verraadde, was ik een kopie van haar. Ik liep zelfs zoals zij, met mijn handen op mijn rug. Als iemand erop wees dat ik precies Tanja was, antwoordde papa dat dat vroeger wel anders was.

'Toen zei iedereen dat wij zo sprekend op elkaar leken, de kleine meid en ik!'

Op een avond kwam mama de rieten mand voor beddegoed halen die in haar ouderlijk huis had gestaan. Ze had Lasse bij zich om te helpen dragen. Dat was de enige keer dat hij in onze flat was, de andere keren wachtte hij beneden in de auto. Het was de eerste keer dat papa en Lasse elkaar ontmoetten. Het bezoek duurde niet meer dan een paar seconden. Papa wilde zijn goede wil tonen en meehelpen, maar daarvoor was de mand te klein en hij kon niet meer doen dan toekijken. Ik hield me een beetje angstig op de achtergrond, wilde met alle drie praten maar was loyaal naar papa toe en zei niets. Toen ze klaar waren, draaide mama zich om naar het Russische schilderij met de meisjes en jongens die vis sorteren.

'Dat is van mij. Kan ik dat ook meenemen?'

'Ja, natuurlijk', zei papa en hij lichtte het schilderij van de muur.

Maar papa hield vast aan de mosterdgele Russische encyclopedie over de planetaire atoomenergie en andere natuurwetenschappelijke fenomenen die het sovjetsocialisme bevestigden, ook al was die van mama en kon hij geen woord Russisch. Mama wilde nooit met mij praten over de jaren met papa, maar het gebeurde soms dat ze naar het naslagwerk vroeg dat hij haar had ontzegd.

Hij kocht een nieuw schilderij waarop vechtende eksters te zien waren. Die afbeelding beviel me. Op de plek van de mand zette hij een nieuw ladenkastje in empirestijl, dat hij op afbetaling had gekocht. Als hij erlangs liep, liet hij zijn vingers over het koele marmer glijden. In de bovenste la legde hij een paar voetbalmedailles, de zéér waardevolle manchetknopen, een krantenknipsel waarop hij eigenhandig de mahoniehouten boot te water laat en een knipsel over het bezoek van Olof Palme aan Fidel Castro.

Iedere avond trok hij wel een keer de soepel glijdende lade uit om te genieten van het vakmanschap.

WE PRAATTEN VEEL over mama, maar niet over waarom ze ons in de steek had gelaten. We hadden besloten dat het vanwege Lasse was, nooit werd papa's eigen schuld aangeroerd. Misschien wist hij niet goed wat er was gebeurd. Blijkbaar wilde hij er ook niet meer van begrijpen – het antwoord wees in zijn richting. Ze hadden de zaak nooit uitgepraat nadat zij die avond in januari haar koffer had gepakt en was vertrokken.

Ik voelde me verantwoordelijk voor wat ze had gedaan en wilde namens haar spijt betuigen.

Op een avond liet ik een bord met gehaktsaus en reuzenmacaroni op de grond vallen, maar in plaats van de boel op te ruimen ging ik midden tussen de saus en scherven zitten.

'Het spijt me!'

Tranen vermengden zich met half gesmoord gehuil.

'Het spijt me! Het spijt me!'

Ik huilde niet om een kapot bord, ik zei de woorden waarvan papa wilde dat mama ze tegen hem zou zeggen. Niet ik zat daar op de grond, maar zij. Mama. Tanja.

Papa zag het ook en deinsde achteruit, zocht met zijn onderarm steun tegen de gootsteen en observeerde me. Zo bleef hij een eeuwigheid staan.

'Het spijt me', zei ik nogmaals, voordat ik tussen het serviesgoed en de gehaktsaus ging liggen. 'Sorry.'

Bang voor mijn eigen gedrag. Bang voor papa.

Hij liep naar me toe en ging op zijn hurken zitten.

'Geeft niks, poppetje.'

Ik was weer Åsa.

Toen mama die avond in januari de deur achter zich had dichtgetrokken, belde papa naar Majken, zijn achttien jaar oudere zuster. Ik denk dat Alexej en zij ons in hun grijze kever kwamen ophalen. De nacht brachten we waarschijnlijk door in hun grote villa van gele baksteen, waar papa altijd rondliep alsof hij er kind aan huis was. Ik weet het niet, want ik herinner het me niet, en niemand heeft er met mij over gepraat. Maar ik herinner me wel dat we een paar dagen later in de keuken in Björkgatan zitten – oma, Majken en ik – en dat ze over iets ernstigs praten wat papa en mij is overkomen en dat met mama te maken heeft. Ze kijken naar mij, oma schudt verdrietig haar hoofd en Majken zegt dat ik een flinke meid ben.

Opa en papa's broers en zussen ventileerden met trillende stem hun beschuldigingen aan mama's adres.

Alles was haar fout.

Niemand wilde horen hoe papa het geld en zijn huwelijk had opgezopen samen met zijn oude voetbalvrienden en de kerels in de jachthaven, dat mama niet eens geld had gehad om een paar schoenen voor me te kopen.

In de familie van papa was echtscheiding een onbekend fenomeen. Mislukking, schaamte.

Aan mama's kant lag dat anders. Toen mama ons in de steek liet, herhaalde ze slechts wat generaties vrouwen hadden gedaan als ze voelden dat het tijd was om op te breken. Toen mijn oma Vera Julius leerde kennen en naar Polen verhuisde, bleven mijn moeder en haar zus Nina bij hun vader Rune achter. Op dezelfde manier als Vera en haar broer destijds van hun moeder werden gescheiden en werden opgevoed door hun vader Peter.

Sterke vrouwen. Sterke mannen.

Mama, die tot op heden bij iedereen geliefd was vanwege haar humor en charme, veranderde van de ene dag op de andere in een naam die niet genoemd mocht worden. Vooral niet als opa in de buurt was.

Het gebeurde soms dat oma onnadenkend over mama praatte alsof ze een vriendin was die veel te jong was gestorven.

'Ze was grappig, die Tanja. Echt heel grappig.'

Oma miste mama. We misten haar allemaal, maar alleen papa vroeg aan me hoe het met mama ging.

Lasse was erbij en het dooide de eerste keer die ik me herinner dat ik mama zag nadat ze bij ons was weggegaan.

'Het is langgeleden dat we elkaar gezien hebben, meisje', zegt ze en ze helpt me op de achterbank van de Saab.

In mijn hand heb ik een koker grote ronde kauwgomballen in mooie kleuren. We hebben boodschappen gedaan bij Smedjan in Eskilstuna. Daar wonen ze nu, ze werken allebei bij het arbeidsbureau. Binnenkort zal de buik onder mama's duffelse jas weer dik worden. Een week na mijn vijfde verjaardag werd Kajsa geboren. Papa stuurde bloemen.

Bij mama en Lasse thuis stond Barnängens-shampoo op de badrand, aan de muur hing Che, op de platenspeler draaide de Hoola Bandoola Band en uit de radio klonk 'Aj, aj, aj, mijn hartje klopt en bonst'. Mama zong mee, ik begreep dat ze verliefd was en daar was ik blij om. We lazen *De fat zit op het toilet*, maakten legpuzzels en speelden het vlooienspel. Gingen naar de film. En we demonstreerden tegen de oorlog in Vietnam en de militaire dictatuur in Chili, voor kinderopvang voor iedereen en een zesurige werkdag. Zulke dingen deden papa en ik niet.

Ik was om het weekend bij mama en Lasse, tijdens hun vakanties en in de kerst- en paasvakantie. Voordat mama mij vrijdagavond kwam ophalen, haalde opa een vaatdoek over mijn gezicht en schraapte met een vleesmes het vuil onder mijn nagels vandaan.

Het was vervelend om mama en papa in de keuken te horen praten alsof er niets was gebeurd. Ze gingen nooit zitten – bleven bij het aanrecht staan wachten tot ik Lena had ingepakt – en vertelden elkaar grappige anekdotes. Eén keer gaf hij mama een knuffel en bleef haar vasthouden. Drukte hij zijn onderlijf tegen haar aan? Ze lachte opgelaten en ik zag dat ze zich uit zijn greep wilde bevrijden.

Toen we wegreden stond papa in het keukenraam en bukte zich onder de hangplant van kunststof. Hij zwaaide. Huilde. Ik ook. Na een paar honderd meter was ik vergeten dat hij überhaupt bestond.

Weer terug op zondagavond jankte ik vertwijfeld en klampte me vast in mama's omhelzing. Papa stond bij het aanrecht en wist niet wat hij moest doen. Hij tilde me op en hield me vast tot mijn tranen gedroogd waren. Ik hoorde hoe mama de deur achter zich dichttrok. Papa vroeg hoe ik het had gehad.

Toen ik zeven jaar was verhuisden mama, Lasse en Kajsa naar Västerås, naar Råbykorset, dat bekendstond om zijn sociale problemen. Een rattenhol, zei papa, een toevluchtsoord voor alcoholisten en Finnen. In de korte periode dat hij bouwvakker was geweest, had hij nog meegewerkt aan de granietgrijze flats van driehoog. De wijk lag aan de andere kant van de stad en ik ging nog steeds om het weekend naar hen toe.

Mama hield niet van pluchen banken, fabrieksbrood en ravioli uit blik. Ze zei dat de radioserie *Lilla Fridolf* vrouwvernederend was en ze had regels voor tandenpoetsen en bedtijd.

'Je bent soms net je vader', zei ze.

'Weet ik', antwoordde ik.

Ik kende verder niemand die alleen met zijn vader woonde. Er waren veel kinderen van gescheiden ouders in de buurt, op de crèche, de buitenschoolse opvang en op school, maar ze woonden allemaal bij hun moeder. Veel kinderen hadden zelfs helemaal geen contact met hun vader. Ik had medelijden met hen. Zij beklaagden mij. Zeiden dat het er merkwaardig aan toeging bij ons. Anders, in alle opzichten.

'Heb je geen moeder? Is ze dood?'

Ik vroeg aan mama waarom ik die avond niet met haar mee had gemogen. Niet dat ik dat had gewild, maar ik wilde weten waarom.

Ze antwoordde altijd hetzelfde.

Ze had het zo zielig gevonden voor papa, dat ze hem het mooiste had gegeven dat ze had ...

Papa had een boot. Een houten motorboot met een roef en een blauw dekzeil. Stevig maar rank. De boot heette Åsa en hij had haar grotendeels zelf gebouwd. In de lente schuurde hij haar met de hand en verniste haar zodat het donkere mahonie glansde als ahornsiroop. De schoonheid spatte ervan af. Niemand heeft zo'n mooie boot als wij! zei papa en iedereen in de haven bewonderde de boot dan ook.

'Verdomd mooie boot, Leffe!'

Te water laten kostte geld. Ieder jaar zag het er in de haven voor plezierbootjes naar uit dat de mooiste boot niet te water zou gaan. De Åsa lag eenzaam op de wal tussen paardebloemen die hun zaad begonnen te verliezen, terwijl alle andere boten in het water lagen en aanstekelijke klots- en knarsgeluiden maakten.

'Leffe, moet jouw boot niet het water in?' vroegen de mensen. 'Heb je hulp nodig bij het te water laten, Leffe?'

Uiteindelijk betaalde opa het geld. Hij genoot ervan de mannen te dirigeren als de boot onder het gekrijs van de meeuwen plechtig in het al bijna zwemwarme Mälarmeer werd neergelaten.

Het was vijf minuten fietsen naar het meer. Onderweg kwamen we langs een BP-benzinestation waar we de jerrycan voor de boot vulden, langs bejaardentehuis Södergården, de Garnizoenskerk en een verwaarloosde tennisbaan. Langs de steenslagweg stonden hazelaars, leverbloempjes en wilde aardbeien. Op de achtergrond een glimp van Himlabacken. We stopten om klein hoefblad te plukken.

In de haven rook het naar gemorste verf, zonnewarm zeildoek en zojuist ontwaakt Mälarvoorjaar. Het grove grind knarste schril en traag.

Als we er waren ging papa plassen achter de schutting. Het maakte niet uit dat hij net thuis nog naar de wc was geweest, zodra hij in de haven was ging hij achter de schutting staan en begroette de andere mannen die daar stonden.

'Hoi, hoi, hallo, hallo!'

Hij ritste zijn gulp open en richtte de straal op de schutting met zijn rug naar het water.

De haven was een mannenwereld. Pas als het tijd was om uit te varen, waren de vrouwen welkom om het gezellig te maken met hun koelboxen.

Als papa klaar was met plassen gingen we naar de keet van de botenclub, waar je tegen kostprijs drankjes kon kopen. Zingo met banaansmaak en flesjes bier. De limonade prikte in je neus en was scherp in je keel. Ik gebruikte het om de kiezelstenen en gele micastukjes die ik had gevonden mee schoon te spoelen.

Het was saai om toe te kijken hoe hij avond na avond, week in week uit, de boot aan het polijsten was. Niets te eten of te doen. Enkel de harde stenen om op te zitten. Ik zeurde dat ik naar huis wilde.

De andere mannen kwamen een kijkje nemen en zeiden dat ik zo'n flinke meid was dat ik papa hielp met zijn boot. Ze boden me boterhammen aan met te dik boter erop. Ik bedankte en ging door met het afpeuteren van de korsten van de schaafwonden op mijn knieën.

Varen deden we zelden, maar het kon gebeuren dat we een tochtje naar Granskär maakten. Dan was papa vrolijk. Ik mocht sturen, hij stond achter me en gaf me complimentjes. Hij wilde zingen.

'Varen, varen over de baren ...'

Op Granskär had je accordeonmuziek en vrolijke mensen. Papa dronk niet, hij had respect voor het water.

Iedere zomer wilde hij één keer voorbij het nudistenstrand op Östra Holmen varen, voor de gein. Hij nam snelheid terug en we voeren langzaam voorbij – op zo'n afstand dat we amper iets zagen. Maar het was voldoende om hem in een goed humeur te krijgen. Ik wilde ergens stoppen om te zwemmen, maar papa zei dat dat niet ging. Hij had ook geen rust om te vissen, hij was heel anders dan opa.

Misschien liet papa wel als laatste zijn boot te water omdat hij varen eigenlijk niet zo leuk vond. Toen ik na vier weken zomervakantie met mama en Lasse thuiskwam, vroeg ik of hij nog met de Åsa was wezen varen. Dat was er niet zo erg van gekomen, het was immers zulk rotweer geweest, antwoordde hij altijd, ongeacht wat voor weer we hadden gehad. Hij maakte een eenzame indruk als hij over zijn boot en vakantie praatte.

Als de blaadjes vielen en het Mälarmeer donkergrijs en winderig werd, vroeg iedereen of papa hulp nodig had om de boot uit het water te krijgen. Het laatst erin en het laatst eruit, ieder jaar.

Als papa last had van zijn zenuwen, maakten we midden in de week een tochtje. Op een late avond waren we alleen op het meer, alle andere mensen hadden het weerbericht gehoord. De wind wakkerde aan en het onweerde en regende hard. De golven sloegen over ons heen. Papa zei niets, hij was bang dat de Åsa aan de grond zou lopen en kapot zou slaan. Hij schreeuwde dat ik in de roef moest gaan zitten, maar ik weigerde. Ik wilde zijn waar hij was. Ten slotte sloot hij me op.

Thuis haalde hij ontdaan een nat pakje sigaretten uit zijn borstzak. Dat was de enige keer dat ik hem bang heb gezien, hij dacht dat we dood zouden gaan.

'Niks tegen opa zeggen! En hou goddomme je kop op school.'

De volgende dag schreef de krant over het noodweer, dat daken had weggeblazen en bomen ontworteld, en de juffen praatten er met ons over in het kringgesprek.

In plaats van uit varen te gaan met de boot fietsten we naar Irsta, een paar kilometer buiten de stad. Daar woonde de Kriel, die papa had leren kennen toen hij bij de Skiljebo Sportklubb voetbalde.

De Kriel huurde een troosteloos houten krotje aan de rand van een akker. Binnen kon je tegen de stank aan leunen. Naast het bed met paardenharen matras en paardendeken stond een transistorradio. Een stuk of twintig katten renden rond en krijsten van de honger. Voortdurend nieuwe worpen, die de Kriel in een zak stopte en doodsloeg of verzoop.

Op zolder woonde een jongen van tegen de twintig, papa en ik begrepen niet precies waar hij vandaan kwam. Als we daar waren stond hij zwijgend in de keuken. Op een dag viel hij van een boot en verdronk. De politie dregde uit alle macht in het Mälarmeer, zonder resultaat. Ik vertelde tegen niemand dat papa en ik de verdronken knul uit de kranten-rubrieken kenden.

'Heeft die arme drommel er een einde aan gemaakt?' vroeg papa. 'Daar ziet het wel naar uit, ja', zei de Kriel.

Het was een akelige kwestie met die jongen, die stilletjes de zoldertrap afdaalde om een tijdje met zijn handen in zijn zakken in de keuken te staan, en die dat vervolgens nooit meer deed. Op een avond na het overlijden van de jongen ging de Kriel naar de bovenverdieping om diens postzegel-album met zegels uit de hele wereld te halen. Hij gaf het aan mij, zonder dat hij dat recht had, want de jongen moet ergens ouders hebben gehad. Een andere keer kreeg ik zijn dure Märklin-spoorbaan.

Van de postzegelverzameling hebben we jarenlang plezier gehad. Vele avonden besteedden we aan het vergelijken van de postzegels met de catalogus, in de hoop een waardevolle schat te ontdekken. Het album was weinig waard, maar papa dacht in ieder geval dat sommige buitenlandse zegels zeld-zaam waren en van de Afrikaanse met diverse boksers had hij hooggespannen verwachtingen. Er was ook een Duitse postzegel met Hitler, waarvan we niet wisten wat we ermee aan moesten.

'Die vervloekte idioot, moeten we die er echt in hebben?'

Hij speelde met de gedachte de Führer te verwijderen en hem ergens te verstoppen.

'Misschien kunnen we die verdomde gek in een doos stoppen samen met die andere dwazen? Generaal Franco, koningin Elizabeth, Soeharto, de heilige Birgitta, Eisenhower, Gustaf v ...?'

Toen bedacht hij zich: stel dat we de zegel kwijtraken? Er bestaat immers een kans dat hij van onschatbare waarde is?

Oma van moeders kant droeg bij aan het verbijzonderen van de verzameling met Russische postzegels, die fonkelden van kleur en schoonheid, met afbeeldingen van Lenin, de pantserkruiser Potemkin, schrijvers, componisten en wetenschappers. Eén postzegel was veertien bij zes centimeter groot en stelde Joeri Gagarin tijdens de eerste vlucht van de mens in de ruimte voor. Papa gaf raad hoe ik de postzegels moest rangschikken zodat waarde, kleur en vorm goed tot hun recht zouden komen.

Eén keer per kwartaal toonde hij bijzondere belangstelling. Dat was op de avonden dat hij de elektriciteitsrekening niet had betaald en niets het meer deed. Geen verlichting, fornuis, een koelkast die langzaam zijn kou verloor. Geen tv, geen radio. Dan staken we kaarsen aan en haalden we alle postzegels uit het album en maakten stapeltjes: Magyar Posta, Suomi, Helvetia, France ... We discussieerden over een logisch systeem maar struikelden altijd over Duitsland met zijn verschillende tijdperken en grenzen. Het is niet echt juist, zei papa, om Walter Ulbricht op één rij met Hindenburg en Konrad Adenauer te zetten, maar ach wat, Duitse klootzakken zijn Duitse klootzakken.

Voor de rest had papa de situatie volledig onder controle.

De stapeltjes postzegels op de salontafel waren overzichtelijk en lieten zich bedwingen, in tegenstelling tot al het andere, dat voortdurend haperde.

ALS PAPA ZIJN loon kreeg, ging hij naar de bank en nam al het geld in één keer op. Hij telde de bankbiljetten twee keer voordat hij ze in zijn portefeuille stopte en mij vermaande tegen niemand te zeggen hoeveel het was. Niet tegen oma en opa, niet tegen Majken en Alexej, tegen niemand. Hij wist zelf dat hij goed verdiende, maar hij wilde niet dat anderen zouden weten hoe goed, want dan bestond het gevaar dat de schuldeisers gingen vragen waar zijn geld toch altijd bleef of dat ze zelfs hun leningen zouden terugvorderen. Iedere keer dat hij zijn inkomsten moest opgeven aan Alexej, die zijn belastingaangifte verzorgde, voelde hij zich bezwaard. Als iemand erop wees dat hij naast een redelijk loon huursubsidie, kinderbijslag en alimentatie van mama kreeg, raakte hij geïrriteerd en zei dat hij de rekeningen die getrouwde mensen konden delen in zijn eentje moest betalen. Dat was waar, maar het verklaarde niet waarom hij altijd platzak was.

Als anderen over papa's inkomsten praatten, voelde hij zich aangevallen. Ze begrepen niet hoeveel werk zijn loon hem kostte.

Hij vond dat er oneindig veel tijd tussen de loonbetalingen zat en zijn onvermogen om met geld om te gaan verwarde hij met armoede. Hij was arbeider en arbeiders waren per definitie arm; hij keek naar zijn eigen situatie zoals die werd afgeschilderd door Jack London en Ivar Lo-Johansson. Armoede, zei hij, is een misdaad die wordt bestraft met levenslang werken.

Tegelijkertijd werd hij diep geraakt door de nieuwsfoto's van hongerende Afrikaanse kinderen met opgezette buiken, zo zwak dat ze niet eens in staat waren de vliegen van hun gezicht te slaan. Toen er een kartonnen spaarbusje van de

Zweedse kerk in de brievenbus lag, vouwde hij het zorgvuldig uit met de bedoeling een bijdrage te geven aan de getroffen kinderen. Toen zijn loon op was, staarde hij geïrriteerd naar het busje.

'Heb je honger, meiske?'

'Een beetje misschien.'

'Roei de honger uit, staat hier. Tja, waarom niet?'

Vlug scheurde hij het karton open en telde het kleingeld. Armoede, verklaarde hij, kan niet worden uitgeroeid met christelijke liefdadigheid. Ze moeten de hele dievenmaatschappij afschaffen!

Op het aanrecht stond mijn spaarpot van doorschijnend rood plastic in de vorm van een flatgebouw. Die plunderde hij regelmatig door een keukenmes in de opening te steken en de munten van vijfentwintig öre langs het lemmet te laten glijden, eerst op tafel en vervolgens zijn broekzak in.

'Je krijgt het volgende week terug', zei hij nonchalant.

Als papa geen contant geld meer had, betaalde hij met een cheque. Het was iedere keer weer even eng. Hij was trots op zijn handschrift en wilde dat de cheque perfect was geschreven, maar als hij de kans kreeg zijn kunsten te vertonen, wilde zijn hand hem niet gehoorzamen.

Eerst moesten we op jacht naar een pen. Het mocht er absoluut niet eentje zijn met rode inkt.

'Dan denken ze misschien dat we communisten zijn!'

'Maar dat zijn we ook.'

'Ja, maar dat hoeft niet iedereen in de winkel te weten!'

'Waarom zou de kassière dat denken, alleen omdat je je naam met rood schrijft?'

'Mensen halen zich van alles in hun hoofd. Bovendien is er geen enkele reden voor demonstratiepolitiek.'

Rode inkt kon er ook voor zorgen dat de mensen ons als bohémiens beschouwden. Anders, op de een of andere manier. Niet als iedereen.

Verbeten schreef hij 'Driehonderd kronen' in het vakje voor het bedrag, om er vervolgens achter te komen dat hij over de letters was gestruikeld en verkeerd had gespeld. Hij schreef de ene cheque na de andere en de mislukte exemplaren verfrommelde hij met een geërgerde grimas.

De kassière was uiteraard niet geïnteresseerd in de kleur en uitvoering van de ondertekening, ze controleerde alleen de naam met papa's legitimatie, wat hem deed briesen onderweg naar huis dat het godgeklaagd was en wat een vreselijke wijven daar werkten. Hij hoopte iedere keer dat ze zouden zeggen hoe fantastisch het was dat hij zo'n prachtig handschrift had.

Papa's leven was veel makkelijker geweest als hij niet de meest onmogelijke dingen had verwacht.

Als het betaaldag was, kwam papa naar de crèche of de naschoolse opvang met een wit papieren zakje van Domus waarin *Superdetective Blomkwist leeft gevaarlijk, De avonturen van Huckleberry Finn* of een rood ruggetje van uitgeverij Wahlström zat. Nieuwe tijden! dacht hij. Dit keer is het geld toereikend tot mijn volgende loon! Er zal zelfs overblijven, ik zal terugbetalen wat ik heb geleend, ik zal sparen, nieuwe kleren aanschaffen, iets moois kopen, mezelf een zadeldekje voor de fiets permitteren, Åsa iets geven wat ze wil hebben. Geen avondeten meer bij pa en ma!

Op betaaldag deden we boodschappen in het winkelcentrum van Viksäng. Eerst gingen we naar de bank en namen het loon op, vervolgens naar het postkantoor om de belangrijkste rekeningen te betalen. Daarna gingen we naar het benauwde bloemenwinkeltje op de eerste verdieping van supermarkt ICA. Ik wilde de ouderwetse ronde lift met zijn speciale geur nemen, maar papa zei dat alleen zwervers en kaklui niet in staat waren trappen te lopen.

Bij de ingang van ICA lagen filmsterren in een mand met aanlokkelijke foto's van ABBA en de Aristocats. Papa zei dat ik er honderden had, en dat was waar, maar ik wilde er gewoon méér, zonder op zoek te zijn naar een speciale afbeelding voor mijn verzameling. Onwillig kocht hij een paar pakjes voor vijftig öre per stuk – als ik ze niet zelf kocht van het geld dat ik in Skiljebo had gekregen.

Als papa trek had in Tuborg in plaats van Pripps Blå gingen we naar de Konsum, een troosteloze winkel met saai snoepgoed. Op de bierblikjes stond een grappige tekening van een groot en klein kereltje in kapotte kleren. In hun spraakballonnetjes stond iets in het Deens en ik vroeg wat ze tegen elkaar zeiden.

'De ene vraagt: wanneer smaakt een Tuborg het best? En de andere antwoordt: iedere keer.'

Ik begreep de grap niet maar was blij dat papa de mooie blikjes kon kopen.

Meestal deden we boodschappen in de Stjärnhall, die dichter bij Rönnbergagatan lag. Op sommige dagen ging papa er vuil en bezweet heen, maar als hij geld had haalde hij zijn pak tevoorschijn. Hij voelde zich rijk en wilde zich navenant kleden. Nieuwe tijden! dacht hij. Op zulke dagen gaf het geen pas om te fietsen, dan wandelden we langzaam zodat iedereen ons kon zien.

Ik kreeg alles wat ik wilde hebben – garnalensmeerkaas, een collegeblok, viltstiften – maar er was geen tijd voor grappen en grollen, we maakten niet ons gebruikelijke rondje langs de aardappelknoedels en surströmming. Als hij geld had was hij niet zo leuk als anders. Hij was serieus, hooghartig. Een man met stijl en waardigheid. Op zulke dagen wilde hij ook niet over politiek praten en deed hij dat toch, dan ging hij rechts staan van het standpunt dat hij normaal innam. Als hij de keus kreeg een miljoen voor zichzelf te winnen in de loterij of het socialisme voor iedereen in te voeren, zou hij niet aarzelen om voor het geld te kiezen. Alleen als hij blut was, droomde hij over een ander maatschappelijk bestel.

Hij permitteerde zich een bloemetje bij het leuke meisje en nam ruim de tijd om een keus te maken.

'Kom, Natasja!' zei hij als hij klaar was. 'We hebben nog meer te doen vandaag!'

Langzaam wandelden we naar huis en we aten de kaas op voor de tv.

Het geld was gauw op. We fietsten weer naar oma en opa, aten daar en bietsten lall.

Tijdens een kaalgeschraapte zomer verkocht hij mijn blauwe fiets, die ik van mama en Lasse voor mijn vijfde verjaardag had gekregen. Ik was er weliswaar uit gegroeid, maar ik had geen andere en bovendien was hij van mij. De fiets leverde vijftig kronen op, waarmee hij naar de drankwinkel ging. Een andere keer verkocht hij mijn koekoeksklok aan Lola en was vol onbegrip toen ik aanspraak maakte op het geld.

Hij was in wezen geen gewetenloos persoon en wilde niemand flessen of misbruiken, maar hij verkeerde vaak in zo'n benarde situatie dat hij rare bokkesprongen maakte. Als hij geld leende was zijn streven altijd het zo snel mogelijk terug te betalen, maar hij deed het nooit.

Oma en opa hielden ons op de been. Papa liep niet bepaald over van dankbaarheid. Meestal was hij bokkig, reageerde het verdriet over zijn levenssituatie op hen af.

Op een avond zat hij in de leunstoel en beklaagde zich tegenover mij dat opa hem geld had geweigerd.

'Ik vraag nooit ergens om en als ik dan eens één keer om hulp vraag, krijg ik het niet.'

Toen het bijna tijd was om naar bed te gaan, zei hij dat we naar buiten gingen. Hij verordonneerde mij op de bagagedrager met twee opgevouwen papieren tassen plaats te nemen. Ik vroeg waar we heen gingen en wat we gingen doen, maar hij deed alsof hij me niet hoorde. Toen we in

Björkgatan arriveerden, zette hij de fiets tegen het lage ijzeren hek en klauterde eroverheen.

Het was stil die herfstavond, heel Skiljebo leek te slapen. Papa liep rond het huis om te kijken of overal het licht uit was. Hij tuurde naar het raam van Olle en Märta op de bovenverdieping. Ik drukte me tegen de muur, zo bang dat mijn handen koud werden. Ik dacht dat papa een inbraak in zijn ouderlijk huis voorbereidde, maar hij klom in de appelboom die voor oma's mooie kamer stond.

Hij schudde de hele boom leeg.

De appels vielen met een bons op de grond, soms met wel tien tegelijk. Het klonk als kanonvuur op een slagveld. Als opa nu naar buiten komt, dacht ik, krijgt papa slaag.

We fietsten naar huis met twee zware tassen vol appels.

Geen van beiden zetten we onze tanden in het fruit. Ik lustte alleen Dagmar Hagelin-appels en papa at alleen pruimen, altijd met giechelige fantasieën over de racekak die daarop zou volgen.

De volgende avond vertelde opa kwaad dat kwajongens zijn appels hadden gejat, dat hij de hele dag prima fruit had lopen oprapen dat ze hadden laten liggen.

'Wat vertel je me nou', zei papa. 'Het is godgeklaagd.'

MAMA GROEIDE OOK op in Skiljebo, een paar blokken bij papa vandaan, in een Zweeds-Russisch gezin met een familie en vriendenkring zo uitgebreid als de reeks personages in een roman van Leo Tolstoj. In het functionele huis van eterniet in Funkisgatan woonden Vera en Rune, en Runes ouders Bertil en Lisa. Rune was draaier en Vera freesde motoren bij Asea. Bertil was metaalgieter bij Metallverken, Lisa verpleeghulp in het sanatorium. Ze waren thuis met drie kinderen: Nina, Janne en Tanja.

Als het informele trefpunt van de communistische partij was het er een komen en gaan van mensen. De politie wist ze makkelijk te vinden wanneer ze hun politieke razzia's uitvoerden. De grootste razzia vond plaats tijdens het midzomerfeest van 1941, toen iedere communist in het land op bevel van Gustav Möller huisbezoek kreeg. Meestal maakte de politie rechtsomkeert, met medeneming van de peren die op het aanrecht lagen en met de mededeling dat ze gauw terug zouden komen. Desondanks hield het gezin op de bovenverdieping Poolse Joden verborgen, die niet welkom waren in Zweden. De partijboeken en het communistische dagblad *Ny Dag* legden ze onder de kindermatrasjes. Toen de oorlog aan het oostfront een wending nam, werden de politiebezoeken steeds schaarser, ook al stond de familie onder voortdurend toezicht. Ze hadden stuk voor stuk een dossier bij de veiligheidspolitie.

In de wetenschap dat de historische herinnering aan je eigen voorouders kort is en de officiële geschiedschrijving vals, vulden ze mijn jeugd met legendes over Funkisgatan. Het verleden werd even vaak verteld om de doden te eren als om de komende generaties dezelfde onverschrokkenheid bij te brengen. Een van de verhalen ging over mijn overgrootvader Bertil, die de 1-meioptocht had georganiseerd in een abnormaal ijzig jaar van de Koude Oorlog. Een handjevol personen was komen opdagen bij het verzamelpunt op het marktplein, dat baadde in de lentezon. De meeste mensen waren familie.

'Het is tijd om te vertrekken, kameraden! Een voor een opstellen met vijf meter tussenruimte!'

Iedereen lachte, maar de achterliggende boodschap ontging ons niet: de enigen die zich moesten schamen zijn degenen die geen stelling nemen. Je moet vechten, je moet je organiseren, hoe eenzaam en dom je je ook voelt. Hoe hopeloos het allemaal ook kan lijken.

Voorwaarts, kameraden! Voorwaarts en niet vergeten!

Tijdens de oorlog fietsten Vera en Rune tachtig kilometer op de tandem heen en terug naar Enköping om de krant *Ny Dag* op te halen, waarvoor een transportverbod gold en die nu dus in anonieme koffers in de trein uit Stockholm lag. De kranten verborgen ze in de schacht van hun laarzen en ze verkochten ze stiekem aan hun werkmaten, onder wie mijn opa van vaderskant. Ik kreeg te horen hoe de neef van Sigge in het werkkamp in Storsien belandde, hoewel hij helemaal niet politiek actief was – ze hadden de verkeerde persoon opgepakt. Toen hij terugkwam, was hij zichzelf niet meer. Oma Vera werd ontslagen bij Asea omdat ze als vertegenwoordiger van de Metaalbond op een vakbondsconferentie in Warschau was geweest. Stina kreeg de zak als verkoopster bij de fourniturenwinkel Lindberg & Hellberg omdat ze communist was: een klant had geweigerd om bij haar te kopen. Stina verhuisde naar Spånga. Voordat ze de stad verliet kreeg ze van de partij de eretaak om Stalins necrologie voor te lezen tijdens de herdenkingsplechtigheid in het Folkets Park. Toen ze oud was, lachte ze om haar eigen domheid. Ze omarmde de koersverandering onder C.H. Hermansson, maar oma en opa maakten zich zorgen. Zij vonden dat de nieuwe partijleider onrustbarend marchandeerde met de socialistische principes. En de tweeëntwintig miljoen sovjetburgers die hun leven hadden gegeven in de strijd tegen het nazisme – betekenden die dan ineens niets meer?

Het is het antifascisme dat de mensen van elkaar onderscheidt, leerden ze me. Als je geen antifascist bent, heb je niet het recht over vrijheid en democratie te praten. Als je niet begrijpt dat het fascisme in wezen burgerlijk is en alleen aan gruzelementen kan worden geslagen door een onwankelbaar volksfront, werk je mee aan de overwinning van de reactionairen. Als je niet luistert naar wat wij te vertellen hebben, krijg je het waarschijnlijk nooit te horen. Je kunt nog zo veel jaar naar school gaan, maar hierover zullen ze met geen woord reppen.

En vergeet nooit dat jij, Åsa, geboren bent op 20 mei 1968. Op dezelfde dag dat overgrootvader Bertil is overleden en op dezelfde dag dat de arbeiders in Parijs solidair waren met de studenten.

Toen ik zo groot was dat ik begreep met welke gebeurtenissen mijn geboortedag verbonden was en welke verplichtingen dat met zich meebracht, sidderde ik voor mijn eigen aanzien. Dit kon geen toeval zijn, ik was uitverkoren. Tja, zei papa, dat met die studentjes uit de hogere klasse in Parijs stelt niks voor. Maar 20 mei is de nationale feestdag van de Cubanen, Natasja, en dát is iets om te vieren!

Mijn oma Vera werd geboren in Rusland in de herfst van het revolutiejaar 1917 en ze groeide op in Jaroslavl, tweehonderdvijftig kilometer ten noordoosten van Moskou. Vera's vader heette Peter en werkte bij Asea, dat in 1932 – toen Stalin alle buitenlandse ondernemingen wilde kopen – de productie naar Västerås verplaatste. Asea bood zijn medewerkers aan mee te komen naar Zweden, en Peter ging op het aanbod in. Het was een dramatische beslissing, maar niet geheel onlogisch aangezien Peters vader een Zweedse emigrant was die in de jaren tachtig van de negentiende eeuw werk in het oosten was gaan zoeken in plaats van de boot naar Amerika te nemen. Er waren Zweedse wortels. Peters vrouw Olga kwam pas na de oorlog naar Zweden, maar toen had Peter inmiddels een nieuw gezin gesticht.

Vera was vijftien toen ze met haar vader en broer Alexej naar Zweden kwam. Het was in hetzelfde jaar dat de sociaaldemocraten hun unieke regeringstijdperk inluidden, maar de fascistische machtsovername op het continent deed haar besluiten lid te worden van de Zweedse Communistische Partij. Als Russische in de partij genoot ze een zekere status, terwijl ze tegelijkertijd ook waardevol was voor de Russen. Ze kon zonder problemen tussen de landen heen en weer reizen. In de jaren vijftig ging mijn moeder naar een pionierskamp in de Sovjetunie en werd net zo behandeld als de kinderen van de Russische partijelite.

Tegen de tijd dat Vera Rune had verlaten en hertrouwde met Julius, verhuisden ze eerst naar Polen en een paar jaar later, in 1958, naar de Sovjetunie. De Zweden die in de jaren vijftig naar de kortegolfradio luisterden, konden afstemmen op oma's stem, die de nieuwsuitzendingen van de Moskouse radio inleidde met de kenmerkende woorden: 'Hier is Moskou.' Klonk er een jongere, snellere stem, dan zat mama achter de microfoon. Ze heeft twee jaar in Moskou gewoond, waar ze innerlijk verdeeld raakte door het zien van de privileges van de nomenklatoera en het feit dat sovjetburgers niet vrij mochten reizen. Haar kritiek werd als een puberdwaling afgedaan door de ouderen, die toegeeflijk, vergoelijkend lachten.

Na Moskou wachtten Tyresö, Karlstad en Vara, maar oma en opa bleven rotsvast overtuigd van de superioriteit van het 'real-socialisme'. Met de Kerst was er altijd een felle discussie over de Sovjetunie, waarbij mama wilde dat ze de fouten en gebreken van het systeem zouden toegeven. Oma en opa – Rune was jong gestorven en voor mij was Julius mijn opa – somden meer argumenten op voor de Russische inval in Afghanistan dan Brezjnev zelf, terwijl mama met opgewonden stem beweerde dat het godgeklaagd was en toch niet goed kon zijn andere landen binnen te vallen en de bevolking te onderdrukken.

'Tanjuska, beste lieve Tanjuska', smeekte opa toen hij besefte dat ze het niet op waarde wist te schatten dat de Afghaanse vrouwen scholing kregen en hun sluier konden afleggen.

'Je bent toch lid van het linkse Vrouwen voor vrede?' vroeg mama en ze richtte zich tot oma.

'Ja, dat ben ik inderdaad. Altijd geweest.'

'Ja?'

'Ja, ik vind dat we moeten werken aan vrede en ontwapening.'

'Ja?'

'Ja, dat vind ik. Dat heb ik altijd gevonden.'

Thuis in Rönnbergagatan deed papa zijn best de Russen te begrijpen, maar soms was het moeilijk. Ik troostte hem met alles wat ik opa en oma had horen zeggen.

'Afghanistan is slechts een regionaal conflict. Een interne aangelegenheid! Iets wat ze moeten oplossen zonder inmenging van buitenaf.'

Hij was niet tevreden met het antwoord, zei dat de Russen met een betere reden moesten komen om onschuldige mensen neer te maaien.

Papa en opa Julle waren het in politiek opzicht met elkaar eens, maar toch begreep papa Julle niet. Hij maakte zich graag vrolijk over opa's eindeloze monologen over Diderot, Stanislavski en Sara Lidman. Opa was van mening dat kunst, literatuur, theater en muziek de arbeidersklasse niet alleen iets te zeggen hebben, hij eiste bovendien dat de arbeidersklasse er een standpunt over innam, en wel hier en nu, tijdens het kerstdiner, onder de midzomerborrel. Het was de taak van cultuur vrij te maken, te informeren, te mobiliseren.

De bourgeoisie schept zich een wereld naar haar eigen beeld, schrijven Marx en Engels, hebben we daar goede hedendaagse voorbeelden van? Waarom kunnen we zeggen dat Arvid Falk radicaal is maar niet revolutionair? Is *De kersentuin* een komedie of een tragedie?

Opa Julle – die in veel opzichten leek op oom Melker uit Astrid Lindgrens *Samen op het eiland Zeekraai* – was een volksontwikkelaar in wollen colbert en poloshirt in een familie die zich niet zomaar zonder meer wilde laten 'volksontwikkelen'. In ieder geval niet de hele tijd. Maak me wakker als Julle klaar is, fluisterde Alexej, die door zijn huwelijk zowel de zwager van opa Julle als van papa was.

Opa Julle hield van de arbeidersklasse, iets wat papa krenkend vond. Opa meende dat arbeiders op een bepaalde manier moesten zijn en bepaalde dingen moesten vinden alleen maar omdat ze arbeiders waren. Als ze dat niet deden, was hij teleurgesteld. Julle, die op de kunstacademie in de leer was geweest bij Sven X-et Erixson, die zich belachelijk had gemaakt als theaterpedagoog in Praag en nu achter een bureau in Skaraborg zat als volksontwikkelingsconsulent – met welk recht sprak hij over de realiteit op de werkvloer? vroeg papa zich af.

'Waar gebruikt die Julle zijn handen in godsnaam voor? Verven met waterverf! Typen op een typmachine! Zo zien mijn vleeshaken eruit, maar die Julle, die zit te kletsen over toen die schrijver, Göran Palm, incognito bij L.M. Ericsson ging werken.'

Als die Tsjechov op zou staan uit zijn graf om zich een paar weken uit te sloven bij Metallverken zou papa dat nog koud laten.

Ik werd verdrietig als papa zo praatte, mijn liefde voor opa Julle was onvoorwaardelijk. Hij zorgde voor speelse zomers tussen bosbessenstruiken en addertjes, later kwam hij met boeken aanzetten die ik onmiddellijk diende te lezen zodat we erover konden praten. Toch lachte ik instemmend mee met papa's spotternijen.

Eén keer had opa zich neerbuigend uitgelaten over papa's mahoniehouten boekenkasten en dat heeft papa hem nooit vergeven. Daarentegen vond papa het stuitend stijlloos bij oma Vera en opa Julle thuis, terwijl ik het het mooiste huis ter wereld vond. Eenvoudige Bruno Mathson-meubels, textiel vervaardigd in Borås, Tomado-rekjes, oma's lappengordijnen en gehaakte dekens. Opa's kleurrijke schilderijen en Russische avant-gardisten aan de muur. Boeken overal en de geur van espresso, *pelmeni*, kip-*tabaka* en borsjtsj. Kamers die gevuld werden met muziek van Vysotski, Violetta Parra, met gesprekken over Balzac en Strindberg. Ondanks de stellige opvattingen over de Sovjetunie was er ruimte voor allerlei ideeën.

Papa zei dat het nergens naar leek.

Opa's gepraat over de arbeidersklasse als de avant-garde van de revolutie stoorde papa nog het meest. Als opa hem vermanend aankeek en zei dat het de arbeidersklasse was die het land naar het socialisme moest leiden, vond papa dat er onmenselijke eisen aan hem werden gesteld.

Ze hadden echter geen probleem elkaar te vinden in een discussie over Ingmar Bergman. Een klotewekker filmen die tikt of een kloothommel bang laten worden als-ie een naakt wijf ziet, zei papa, hoe kun je dat in jezusnaam een meesterwerk of wereldklasse noemen? Tuurlijk gaan de mensen naar de bioscoop – wie wil goddomme niet de tieten van Harriet Andersson zien? Opa zei dat Bergman een burgerlijke querulant was, niet bang voor uitwerpselen maar een politieke schijtluis. Zo is het, zei papa, stront, daar heeft de meester-regisseur verstand van. En tieten.

Papa ergerde zich ook aan oma Vera, maar tegelijkertijd koesterde hij een mateloos respect voor haar omdat ze in de Sovjetunie was geboren en tolkte voor alle beroemde Russen ter wereld die in Zweden op bezoek kwamen. Hij vertelde met wie ze allemaal had gewerkt en bevriend was geraakt: Joeri Gagarin, Chatsjatoerjan, balletdanseressen, wetenschappers, circusgezelschappen en op de eerste plaats – wat hem betreft dan – het Sovjet-Russische hockeyelftal met bondscoach Tarasov. Hij hoopte dat iets van die glans op hem zou afstralen. Oma kwam thuis van haar reizen met Russisch handwerk, poppen, postzegels, porselein. Ik liet de cadeautjes aan papa zien, die ze vastpakte alsof het schatten uit de grafkamer van Toetanchamon waren.

Op een keer kwam oma met een balletensemble naar Västerås. Ze logeerden in het Stadshotell en papa en ik gingen bij haar op bezoek. Het was voor ons allebei een ervaring om over de dikke loper het pompeuze gebouw binnen te gaan, waarvan de gevel – die zich uitstrekte langs het hele marktplein – normaal gesproken een onneembare vesting leek. We kwamen regelmatig in Bakfickan – of heette het toen nog Bondkällaren – het café op de hoek van het gebouw, maar in het hotel waren we nooit geweest. Papa droomde ervan ooit een goede maaltijd te eten in het deftige restaurant, net zoals hij ervan droomde ooit een bezoek te brengen aan restaurant Gyldene Freden in Gamla Stan in Stockholm. Daar zouden wij tweetjes dan een lekkere biefstuk met uitjes eten, in de nabijheid van Evert Taube en Cornelis Vreeswijk.

Oma, klein en rond in haar vrolijke tuniek en een *tubeteika* over haar kortgeknipte haar, ontving ons blij in de hotelsuite. Mij noemde ze Åsik – kleine Åsa in het Russisch. Ze praatte zo mooi. Zacht, melodieus.

In papa's armen lag een groot boeket rode rozen nat te ritselen. Hij gaf de bloemen aan oma en sloeg de waterdruppels weg die niet in de kostuumstof wilden dringen. Hij was gespannen. Ze hadden elkaar na de echtscheiding niet vaak meer ontmoet en mogelijk had dat iets te maken met papa's wrok. Het gesprek werd luchtiger toen de Russische sterren een kijkje kwamen nemen. Wilde hij misschien een borrel? Papa gluurde naar oma. Ja graag, *spasibo*. Dat wilde hij wel.

'Het is ondanks alles toch een verdomd bijzonder mens,' zei hij op weg naar huis, 'alleen godgeklaagd dat die bloemen zo veel lall hebben gekost.'

Zowel mama als papa groeide op tussen klassenbewuste metaalarbeiders met een hoge arbeidsmoraal, die allemaal hadden gevochten voor democratische hervormingen en de rechten van de arbeidersklasse. Mama's revolutionaire thuis in Funkisgatan verschilde echter in alles van het meer reformistische ouderlijk huis van papa in Björkgatan.

In Funkisgatan organiseerde men zich, discussieerde, las boeken en bij de minste of geringste aanleiding werd er een feest aangericht. Daar werd het ideaal van de plichtsgetrouwe arbeider verenigd met een bohémien leven en een levende droom over het socialisme. Bij papa thuis werd niet gelezen en niet gevierd. Daar was het een doodzonde veel ophef over iets te maken en als je geld overhad spaarde je voor een kristallen kroonluchter. In mama's ouderlijk huis werkten de vrouwen en verdienden hun eigen geld. Oma van vaders kant was huisvrouw, haar wereld liep via die van opa.

Maar opa zag dat niet zo als hij over zijn onverschrokken strijd sprak.

Opa werd radicaal toen hij in de jaren twintig werd gedwongen als spoorwegarbeider te gaan werken in de werkverschaffing in Norrland. Een spoorlijn aanleggen was hard ploeteren, wat tot politiek bewustzijn leidde: een aantal werkmaten was syndicalist. Het was ook de periode waarin hij geheelonthouder werd, want iedere week was er wel iemand die zijn loon opzoop. Dan moesten de anderen lappen, zodat er toch iets naar het hongerende gezin thuis kon worden gestuurd. Als spoorwegarbeider was je genoodzaakt solidair te zijn – ook met degenen die dat niet vanzelfsprekend verdienden, zei hij, dat was de enige manier om te overleven. Een maat was met een meisje in een van de dorpen naar bed geweest en aangezien hij in zijn kruis geschapen was als een hengst en in zijn hoofd als een ezel, was haar hele onderlichaam kapot. Hij werd veroordeeld tot een boete die zijn werkmaten bij elkaar schraapten, nadat ze hem eerst halfdood hadden geslagen.

Net zo onvermoeibaar vertelde opa over de zwarte lijst na de staking van de metaalarbeiders in 1945-'46.

'Als ik niet had gejaagd en gevist waren we doodgehongerd, meiske, alleen maar omdat we staakten voor vijftien öre loonsverhoging! Ik ving stiekem rivierkreeftjes in de Svartån, die ik voor één kroon twintig verkocht aan het Stadshotell.'

Opa kreeg gauw zijn baan terug. Maar die ervaring zei hem voldoende, vooral nadat Tage Erlander te kennen had gegeven alle communisten op de werkvloer stuk voor stuk te vermorzelen. In zijn eigen ogen nam hij revanche door zich op te werken tot vertegenwoordiger van de vakbond zonder een partijboekje van de communisten dan wel de sociaal-democraten. Maar hij zou voor eeuwig geregistreerd staan bij de veiligheidspolitie.

Hij sprak graag met mij over het socialisme. Ons eerste gesprek over dat fantastische wat in de toekomst wachtte hadden we toen ik vanwege de waterpokken een paar weken ziek thuis moest blijven. Opa paste op en verveelde zich dood. 's Ochtends gingen we blinkeren op het bevroren Mälarmeer, 's middags kaartten we en luisterden naar de plaat van Evert Taube. Op een dag waren opa's verhalen ineens uitgeput. Toch wilde hij graag iets vertellen.

'Kind, nu krijg je iets te horen wat misschien vreemd klinkt, maar echt waar is. Het zit namelijk zo, er is iets wat socialisme heet ...'

'Dat weet ik.'

'O ... aha.'

Hij was even van zijn apropos, maar liet zich niet uit het veld slaan en begon te praten zoals zijn spoorwegkameraden ooit hadden gedaan. Arbeidersraden zullen verantwoordelijk zijn voor de fabrieken en deze coöperatief bezitten en leiden. De arbeiders zullen hun voormannen kiezen, de winsten zullen worden gebruikt om het werk menselijk te maken en welvaart voor iedereen te brengen. Het moet niet zo worden zoals in de Sovjetunie – het socialisme heeft niets met de staat of de partij te maken. De mensen zullen zelf de macht over de productie en het productieoverschot krijgen.

'Niemand, en dan bedoel ik niémand, meiske, zal geld verdienen aan het werk van een ander!'

Als het socialisme een kans wilde hebben moest de revolutie beginnen in Nef Jork. Het kon nog even duren.

'Ik zal het niet meer meemaken, maar jij wel, meiske, dat is een ding dat zeker is!'

Wanneer ik opa in de laatste jaren van zijn leven bezocht, haalde hij energiek de kristallen vaas tevoorschijn waarin zijn naam gegraveerd stond en die hij van de vakbond van Metallverken had gekregen. Ik moest de vaas vasthouden, terwijl hij vertelde hoe hij bij Metallverken midden in de strijd stond – tussen de communisten, de rechtse sociaaldemocraten en de bazen.

'Iedereen wilde dat de bijl zou vallen, maar alleen ik durfde de steel vast te houden!'

Hij vroeg me de vaas te wegen in mijn handen, een gedegen stuk glaswerk dat gewicht kreeg dankzij het feit dat Kalle Andersson had meegeholpen het land en de Zweedse industrie op te bouwen. Niet helemaal alleen, uiteraard, maar hij had zeker zijn steentje bijgedragen. De ontwikkeling mat hij af aan de fabriek die hij had verlaten en het huis dat hij zelf had gebouwd, hoe een werkdag van twaalf uur was veranderd in acht, en vijf dagen vakantie vijf weken waren geworden. Algemeen kiesrecht voor mannen en vrouwen, AOW, gratis tandarts en bejaardenzorg. Werk voor iedereen. Waarom zou de vooruitgang ooit eindigen?

Papa schudde zijn hoofd, maar altijd zo dat opa het niet

zag. Opa heeft niet zo veel gedaan, zei hij, zeker niet vergeleken met wat ze aan Tanja's kant allemaal deden. Voor iedere democratische hervorming in dit land hebben de communisten van Funkisgatan gevochten. Jezus, wat hebben
ze gestreden tegen de nazi's, kapitalisten, rechtse sociaal-
democraten en andere gangsters!

'Dat is iets waar je trots op kunt zijn, Natasja. Vergeet
nooit – nóóit – dat je ook een Linderborger bent.'

PAPA LEEFDE IN een geografisch kleine wereld – zijn fiets verplaatste zich tussen Metallverken, Viksäng, Skiljebo, de jachthaven, Stora Gatan en soms Irsta – maar zijn dromen waren groot. Hij verlangde naar het communisme. Dat was ons geheim, ik mocht het aan niemand vertellen. Zijn verlangen was het grootst op de dagen dat hij blut was en zich straatarm voelde.

Het communisme, zei papa, is een maatschappij waarin geen klassen bestaan en daarom ook geen geld of oorlog. De winkels zijn goederenmagazijnen, je loopt gewoon naar binnen en pakt wat je nodig hebt en laat iets achter wat iemand anders kan gebruiken. Een paar schoenen voor een vloerkleed, een fiets voor een wasmachine. Alle mensen wonen door elkaar: zwarten, blanken, Joden, Finnen, Russen, Skånen, Amerikanen – er bestaan geen nationaliteiten meer, alleen nog mensen. Niemand is arm of rijk, iedereen heeft het even goed. Iedereen spreekt dezelfde taal, iedereen helpt elkaar. Onder het communisme wordt niet geconcurreerd, je werkt samen en alles wordt eerlijk verdeeld. Er wordt alleen geproduceerd wat nodig is, geen zinloze rommel die het milieu verpest. Niemand hoeft zijn hele leven hard te ploeteren, iedereen werkt bij toerbeurt. Degenen die ziek zijn hoeven niet te werken. Woonwijken zijn kleine collectieven waar iedereen met elkaar omgaat – op de binnenplaatsen staan lange, gedekte tafels met eten dat iedereen helpt klaarmaken. Iedereen is welkom, niemand wordt buitengesloten.

Onder het communisme hoeft niemand zich eenzaam te voelen.

Midden in het zogenaamde eendrachtige Zweden zat papa te verlangen naar echte samenwerking. Geen klassen, geen oorlog.

'Het wordt geweldig, echt waar, prachtig wordt het.'

Hij had ideeën over van alles, van vuil ophalen tot besluitvorming, maar hij zei niets over hoe hij dacht dat het gezinsleven georganiseerd moest worden. Óf zijn fantasie reikte niet ver genoeg, óf het behoorde tot die dingen waar hij niet aan kon denken. Dingen die niet langer deel uitmaakten van zijn leven.

Het communisme waar papa over sprak, had zekere overeenkomsten met zijn voorstelling van Cuba. Hij dacht dat de mens het onder het communisme zo wist te regelen dat de winter een jaargetijde was dat niet meer bestond. Het communisme hield Cubaanse zon en warmte in, geen sneeuw, kou en drijfijs. Papa had weinig behoefte iets van de wereld te zien – reizen beknotte de mens – maar naar Cuba wilde hij wel. Hij probeerde ons allebei te doen geloven dat we ieder moment konden gaan, en hij liep naar de keuken om een bruin spaarbankboekje te halen dat oom Elis mij had gegeven toen ik werd geboren. Hij zat in de fauteuil met het bankboekje in zijn hand en zei dat er een heleboel reisgeld op stond. Ik was al langgeleden opgehouden hem erop te wijzen dat het saldo nihil was. Ik wilde zijn zelfbedrog niet onthullen.

Zijn andere droom was een rood zomerhuisje met witte hoeklijsten, lathyrus en klimrozen. Daar zou hij in het prieel zitten en naar de radio luisteren. Dat leek ons allebei vreselijk stoer. Het communisme voelde ineens wat minder ver weg.

Papa had geen tussenliggende doelen. Hij streefde niet iets realistisch na, iets wat tussen zijn volgende loonbetaling en een andere samenleving in lag. Het hele jaar zat hij op de bouwvak te wachten. Niet dat we dan iets gingen doen; het ging er vooral om dat hij niet hoefde te werken.

Van de zomers maakte hij helemaal niets.

Mama bracht mij een keer terug bij papa op een ochtend dat zijn vakantie net was begonnen. Slaapdronken opende hij de deur, de nacht had hij doorgebracht in de fauteuil. Hij was nog dronken en liep terug naar de stoel om verder te slapen. De ochtendzon brandde op de parketvloer. Ik zat een poosje op de bank naar zijn passieve lichaam te kijken. Hij zou daar vier weken blijven zitten. Wanneer het tijd was om weer aan het werk te gaan, voelde hij een ongelooflijke teleurstelling.

Papa was geen lid van de partij. Voor hem was *De Partij* – dat superieure levende organisme aan mama's kant – zelfs geen begrip. Hij had geen marxistische cursus gevolgd waarin dingen als loon, prijs en winst werden uitgelegd. Dat heb ik niet nodig, zei hij.

'Ik klok om drie minuten over zeven in en werk tot zes minuten over vier. Acht uur lang werk ik als een paard en ik krijg er maar vier betaald. De rest stopt Wallenberg in eigen zak. Zo simpel is het.'

Papa's geloof in solidariteit en rechtvaardigheid was net zo compromisloos als zijn strijd met het staal. Toch was hij doodsbang dat zijn radicalisme aan het licht zou komen. De bankcheques moesten met blauwe balpen worden ingevuld. Toen ik erachter kwam dat hij zijn hele volwassen leven als mogelijk communist geregistreerd had gestaan, durfde ik niets tegen hem te zeggen.

In mama's dossier werd door de veiligheidspolitie voor het eerst een aantekening gemaakt in 1955, het jaar waarin ze twaalf werd – ze had het wereldjeugdfestival in Warschau bezocht. De aantekeningen betroffen demonstraties en partijbijeenkomsten waaraan ze had deelgenomen. Zinloosheden. Ze archiveerden een foto van een congres waarop ze danst met C.H. Hermansson. De fotograaf is er slechts in geslaagd haar ene oor te vangen, maar men beweert dat het Tanja Linderborg is die rondwervelt met de voorzitter van de communistische partij. In 1967 werd aangetekend dat ze in het huwelijk was getreden met Leif Andersson. Wie in de partij als verklikker fungeerde, bleef geheim. Zo werd papa, die nooit iets politiekers had gedaan dan met Tanja trouwen en zijn stemrecht gebruiken, ook geregistreerd.

Mama en papa waren niet op dezelfde manier links. Papa voelde zich onderdrukt – ook al zou hij dat woord nooit over zichzelf gebruiken omdat hij het vernederend vond – maar hij streed niet. Mama voelde zich niet onderdrukt en werd dat ook niet zozeer, maar zij streed voor degenen die dat wel werden. Ze waren het eens over het belang van een progressieve verdeelpolitiek, maar waar papa droomde van arbeidersmacht zong mama dat wij meisjes onze stemmen moesten verheffen om gehoord te worden. Hij wilde hoger loon, een zesurige werkdag. Mama geloofde in een humaan regime in het gevangeniswezen en gunde homoseksuelen dezelfde rechten als iedereen. Papa eiste hardere maatregelen: op pedofilie moest minstens de doodstraf staan. Over homoseksuelen zei hij niets, de kwestie interesseerde hem niet. Flikkermoppen waren zelden leuk.

Mama was actief in de beweging tegen kernenergie, in een stad waar Asea Atom haar hoofdzetel had, dus stemde papa op lijst drie om mama en de communistische partij, de vpk, niet teleur te stellen. Hij was opgelucht over de verkiezingsuitslag. Wat een godsgeluk dat hij zijn baan niet was kwijtgeraakt!

'Het hele land had dicht gemoeten als ze hadden gewonnen, die linzeneters, die denken dat ze de zon op bestelling kunnen laten schijnen.'

Na de scheiding was papa van plan op Olof Palme te stemmen. Verkiezingstijd 1973. Hij zei dat ik niets tegen opa mocht zeggen, maar wel tegen mama – hij wilde mijn hulp om zijn zelfstandigheid te markeren tegenover de vrouw die hem had verlaten. Toen hij het stemformulier inleverde, had hij toch de communistische partij aangekruist.

Toen mama zich in 1979 kandidaat had gesteld voor de gemeenteraad, stond hij te zweten achter het groene scherm in de kantine van de Viksängsschool. Hij betastte voorzichtig het stemformulier met haar naam, alsof hij over haar wang streelde. In zijn zondagse pak, een beetje neerslachtig en zich afvragend hoe ze durfde haar opvattingen tegenover jan en alleman te verkondigen. Toen ze in de jaren negentig verkiesbaar was voor het parlement kruiste hij haar naam aan, hoewel ze al nummer één op de lijst stond.

Machtswisseling 1976, ik sliep al toen de uitslag van de verkiezingen werd bekendgemaakt.

'Wie heeft er gewonnen?' vroeg ik toen we in de schemerige septemberochtend de fiets van het slot deden.

'De conservatieven. Je zult zien dat alles naar de klote gaat!'

Er staan ons dieventijden in een dievenmaatschappij te wachten, zei papa, net zo bang als Maja ooit voor de komeet. Dit zou de arbeiders duur komen te staan.

We waren allemaal geschokt.

'Dit is niet best', zei oma, die op de communist Lars Werner had gestemd omdat opa tegen haar had gezegd dat ze dat moest doen.

Kon Palme niet toch aanblijven? vroeg ze. Was dat echt niet te regelen? Ze was blij dat de oude koning dood was zodat hij dit niet meer hoefde mee te maken. Oma kon niet anders geloven dan dat hij, zo'n edel en wijs man, sociaaldemocraat was geweest.

'Waarom in godsnaam zou de koning rood zijn?' vroeg papa.

'Is niet iedereen dat dan?' vroeg ze verbaasd.

'Moeder, je praat naar dat je verstand hebt!' zei opa.

Als papa en opa over politiek spraken, werd er van oma verwacht dat ze haar mond hield, anders kreeg ze te horen dat ze meer verstand had van koolrolletjes dan van het staalproject Stålverk 80. Maar ik mocht best meepraten, ze luisterden altijd naar mijn opvattingen. Opa grinnikte.

'D'r zit pit in je, meiske! Dat is zo klaar als een klontje!'

Ik raakte bezeten door die vervloekte driepartijenregering en in A5-ruitjesblokken schreef ik toneelstukken, romans en gedichten, waarvan papa vond dat ze herzien moesten worden voordat iemand ze onder ogen kreeg. Ik mocht ze vooral niet op school laten lezen, want dan kon het slecht aflopen.

In het weekend sliep papa uit, dat wil zeggen, als hij niet onrustig was vanwege ontwenningsverschijnselen. Op katerige zondagen kon hij vroeg wakker worden om erachter te komen dat de flessen leeg waren. Dan trommelde hij zijn broer Rolf op, die ons naar de benzinepomp in Irsta reed waar papa iemand kende die ongeacht het tijdstip bier verkocht. Papa zat op de voorbank te beven.

'Hoe gaat het, Leffe?'

'Gaat wel, rijen nou maar.'

Ik werd vroeg wakker in het weekend en rende naar mijn kamer om speelgoed te pakken – Russische poppen, conducteurstas, tekengerei – waarmee ik mezelf een poosje bij papa in bed amuseerde. Hij sliep als een os. Ik ging nog een speeltje halen, rende rond in mijn onderbroek. De donkere flat, waar ik als enige wakker was, joeg me angst aan. Op een gegeven moment was het bed zo vol, dat ik het speelgoed boven op hem moest leggen.

De stilte was compact, alleen papa's ademhaling en het geluid van iets wat op de grond viel als hij zich bewoog.

Zijn voeten staken onder het dekbed uit. Als hij zijn sokken had uitgetrokken, zag je ondanks het schemerduister de viezigheid. Het leek alsof hij door oud bloempotwater had gewaad. Ik ging naast het bed zitten om naar zijn voeten te kijken. Legde mijn hand tegen zijn platte voetzolen en voelde aan de gebarsten teennagels. Ze waren geel. Zwart.

Ik legde mijn neus ertegen en inhaleerde de zoetzure stank.

Kroop terug in bed maar zat al gauw weer op de grond om te ruiken. Bestudeerde de smerige korsten.

Vloog naar de spiegel in de hal. Ging op mijn tenen staan

en keek mezelf zo diep in de ogen dat ik bang werd van mezelf.

Ik vluchtte bij mijn spiegelbeeld vandaan en rende weer naar papa, klom over hem heen. Ging naast hem liggen en keek op naar zijn schouder.

Papa had de hele werkweek naar vrije tijd verlangd, maar nu ontwaakte hij zonder ergens zin in te hebben. Ik zeurde dat hij moest opstaan. Hij bleef nog een poos liggen.

Ik at een Lundius-boterham met sardientjes in tomatensaus. Toen ik groter was, maakte ik een blik spaghetti open of een van de blikken witte bonen van Heinz die raadselachtig genoeg in de kast stonden. Papa zei dat hij geen idee had waar ze vandaan kwamen. Ik at ze koud, direct uit het blik.

We luisterden naar de radio. *De Ontbijtclub* met Sigge Fürst als we zo vroeg wakker waren, *Spraakwaterval* en *U vraagt en wij draaien*. De keuken werd gevuld met 'Dromen van Elin', 'De brief uit de vakantiekolonie' en schlagers van Burt Bacharach.

Papa stond tegen het aanrecht geleund en deed niets bijzonders. Lachte om Moltas Erikson en Stig Järrel. Rookte een sigaret, glimlachte verrukt als Lasse Berghagen zong over de oude man die met rechte rug zijn colbertje uittrok en zijn schoenen uitschopte. Hij was blij dat het weekend was en ik mocht op zijn voeten over het plastic vloerkleed lopen. Ik lachte en hij grinnikte, tot zijn voeten te veel pijn begonnen te doen.

Papa grinnikte een hi hi, vaak zo hard dat de tranen hem over de wangen liepen. Ik lachte klaterend zoals mama.

Tegen tienen namen we de bus naar het centrum. Het was dezelfde route als naar Metallverken, maar in de weekenden gaf het geen pas om de fiets te nemen.

In Västerås is alles van betekenis de hoogte in gebouwd. Bij het spoorwegstation staat de Aseatoren van donkere baksteen. Als kind kreeg ik te horen dat de belangrijkste besluiten voor Asea – en daarmee voor iedere Västeråser – onder de groen uitgeslagen koperen koepel werden genomen. Opa zei dat de machtigste mannen zich midden in de kamer verzamelden rond een tafel in de vorm van een hakenkruis. Daar stonden ze dan de grafieken over ons aller toekomst te bestuderen.

'Ja, zo gaat dat verdomme', zei papa. 'Dat is precies zoals het hier in deze vervloekte dievenstad gaat.'

Niet ver van het centrum lag Villa Asea. Maar weinig mensen konden precies aanwijzen waar, papa wist alleen dat hij bestond en ergens achter Oxbacken lag. Daar, zei hij, houden de Aseabazen grote feesten met orkesten en bedienden en serveersters met gesteven schorten. Sigarenrook en een drankenbuffet. Mannen die elkaar met 'broeder' aanspreken en luxehoeren die met een boot uit Stockholm worden gehaald, misschien zelfs met de oude Loris van Ivar Kreuger. Jezus, wat was dat een fantastisch schip!

Daar aten ze runderfilet en Russische kaviaar. Iedere dag. En bergen Zweedse kreeftjes.

'Het is toch godgeklaagd dat mensen die niet eens weten hoe je kreeft moet eten zo veel naar binnen mogen werken als ze maar kunnen. Je zult zien dat ze alleen de staarten eten en de rest weggooien.'

Kreeftjes, zei papa, hebben een geheim dat maar weinig mensen kennen, maar áls je het kent geeft het een smaakervaring die nergens mee te vergelijken valt. Hij was ingewijd in het mysterie van de zwart-rode beestjes, en ik ook, verzekerde hij me toen ik er bezorgd naar vroeg. Andere mensen eten ze maar één keer per jaar en enkel omdat het traditie is. In feite eten ze ze alleen maar voor de drank die erbij hoort.

Er was altijd geld voor een pak Turkse kreeft, in het seizoen aten we ze meerdere keren per week. Hij kookte ze in een eigengemaakte bouillon en stond klaar met de duimstok om de grootste eruit te halen, waarvan hij wilde dat ik die zou opeten. Vervolgens zaten we allebei met een theedoek op schoot voor de tv te peuteren en te zuigen. Papa zorgde ervoor dat mijn berg schalen net zo hoog was als de zijne. Als ik geluk had speelde hij even of hij de gastheer in Villa Asea was, met rokkostuum en bekakte uitspraak: 'Wil de juffroi nog een kreuft? Neu? Kan ik u dan misschien verleiden tot een sigaar en een drankje?'

Of hij stak zijn kin in de lucht, deed zijn ogen half dicht en hield verwijfd zijn pink omhoog. De klinkers maakte hij lang en hij liet zijn i's zoemen door zijn tong tegen zijn verhemelte te drukken.

'Ik en mijn man Noppe von Bavianenreet zijn onlangs naar een énige woning in Diplomaatstad wezen kijken. Hier, zei ik, hebben we genoeg plaats voor Hitlers badkuip, de gezelschapsdwerg en de huisneger. Hier is voldoende ruimte om een knalscheet ... knalscheet ... oeps! te laten.'

Hij tilde zijn ene bil op om een wind te laten en deed tegelijkertijd of hij zijn kapsel schikte. Er kwam niet altijd geluid, wel een weeïge zoete stank die hem bijzonder vrolijk maakte.

'Een sluipmoordenaar! Wat jij allemaal niet kunt, Noppe!'

Ik moest zo lachen dat ik van de bank rolde.

'Nog een keer! Speel nog een keer gravin!'

Veel eerder dan ik kreeg hij genoeg van zijn rollenspel.

Als we in het centrum waren, telde ik zo veel mogelijk torens. De rechthoekige aan de korte kant van het Folkets

Hus en de klokkentoren van het stadhuis in grijs graniet symboliseerden de arbeiderspartij, die sinds 1917 de stad had geregeerd samen met Asea, Metallverken, ICA Hakonbolaget en de andere grote werkgevers. In de decennia rond de eeuwwisseling was Västerås een wanordelijke stad met een radicale en bonte arbeidersbeweging, maar nu hoorde je niemand meer in twijfel trekken dat klassensamenwerking een hoger principe was en dat het de opgave van de arbeidersgemeenschap was om arbeidskracht te reproduceren. Kinderopvang voor iedereen, brede fietspaden, voordelige metaalarbeiderswoningen. Er liep een rechte lijn van het stadhuis naar oma's vlees met mierikswortelsaus. Alles werd becommentarieerd door de liberale *Vestmanlands Läns Tidning*, die in een glazen krantenkolos aan de overkant van de rivier huisde.

De toren van de dom was van speculaaskleurige baksteen. Beneden aan de haven stond de warmtekrachtcentrale met een schoorsteen die bovenaan was afgezet met een rode lichtkroon. Deze betoverde me als ik 's avonds op de bank door het raam naar buiten zat te kijken in de richting waar mama en Lasse woonden.

Boven dit alles cirkelde lange tijd de luchtmacht. Op zaterdag paradeerde hun militaire kapel met majorettenkorps in rode pakjes. Ze namen de tijd, met de zelfverzekerde tambour-maître die de blazers door Vasagatan leidde. Ik vroeg me af waar ze vandaan kwamen, die mooie meisjes in hun korte rokjes en witte laarzen die hun stokjes zo kunstig hanteerden. Ik wilde weten waar ze woonden. Niet in Viksäng, dat was duidelijk, net zo duidelijk als dat ik nooit een van hen zou kunnen worden. Misschien kwamen ze uit Talltorp en Hamre, de wijken die grensden aan Viksäng en waar het wemelde van mooie rijtjeshuizen en bakstenen villa's.

Papa stond naast me te snuiven. Hij verafschuwde alles wat met het leger te maken had. Hij keek nooit naar oorlogsfilms, las geen oorlogsboeken en werd niet gefascineerd door wapens. Zijn diensttijd had hij op Gotland doorgebracht – sindsdien het achterlijkste gat van Zweden – tot hij vrijstelling kreeg op grond van iets wat hij niet goed kon uitleggen.

Onder de dienstplicht uit komen moet een opluchting zijn geweest. Toch knaagde de vrijstelling aan zijn gevoel van eigenwaarde als man. Hij praatte niet graag over het onderwerp. Het enige wat hij kwijt wilde over zijn tijd als dienstplichtig soldaat was die keer dat hij zich boven de Oostzee bevond en er een vliegtuigmotor in brand vloog. Wat een klote-eiland! Soms imiteerde hij het Gotlands.

'Doubistenaizel met haile lange euren. Weet je wat dat betekent? Dat betekent "Je bent een ezel met hele lange oren". Je begrijpt zeker wel hoe vreselijk achterlijk ze op dat vervloekte eiland zijn. Daar heeft niemand ze allemaal op een rijtje.'

Je hoeft echt geen uniform te dragen om een man te zijn, legde hij me uit. Maar een man kan geen beatlekapsel hebben – een echte vent loopt niet rond met haar op zijn voorhoofd.

Eerst gingen we naar de markt. Als het zomer was kocht hij Västeråse zure bommen en plantjes voor op het balkon. Als we klaar waren, bracht papa een bezoek aan het urinoir onder de linker vleugel van het Stadshotell. Niet dat hij echt moest, maar hij hield van de sfeer die zo mijlenver verwijderd was van zijn sierkleedjes en gedrapeerde gordijnen. Het was net alsof hij, nadat hij petunia's had gekocht, zichzelf eraan moest herinneren dat hij ondanks alles een man was.

De stank prikte in je neus. Ik stond aan de zijkant te kijken naar de mannen die wijdbeens richtten op het stromende water in de roestvrijstalen bakken.

'Hé, hoi, hallo!'

De vloer was nat. Ik keek om me heen naar een plek waar

mijn witte Zweedse klompen niet nat zouden worden, maar wilde me ook niet te veel bewegen tussen al die mannen met opengeritste gulpen. Het met urine vermengde water drong in mijn zolen. Ik hield mijn adem in om niet misselijk te worden. Het duurde even voordat papa er iets uit wist te persen en het nam de nodige tijd in beslag voordat hij hem kon afschudden. Niemand waste zijn handen.

Op dezelfde manier plaste hij in de gootsteen. Gefascineerd zag ik hoe geconcentreerde, bruingele pis met een scherpe geur in een krachtige straal tegen het grove afvoerzeefje kletterde. Ik vond dat zijn urine dampte, het was net of de hete ovens van Metallverken zijn meester-harderslichaam deden koken.

Als we uit het urinoir kwamen, ging ik op zoek naar een plas water waar ik even met mijn klompen in kon staan. Of ik stak mijn winterschoenen diep in de sneeuw en bleef zo een paar seconden staan. Hij vroeg wat ik aan het doen was.

De fruit- en kaaswinkel van Ericsson gingen we alleen maar binnen opdat papa nors kon constateren dat het er te duur was: je kon er slechts kaas over de toonbank kopen. We brachten een bezoek aan de galanteriewinkel in de Sigmapassage. Papa wilde bijna alles hebben, maar kocht zelden iets. Soms koos hij na veel wikken en wegen een mondgeblazen dolfijn of een kaarsenstandaard. Siervoorwerpen, geen gebruiksvoorwerpen.

Bij Fjugesta Meubels gingen we proefzitten op de leren banken en lieten onze vingers langs de messing lijsten glijden. We wilden alles wel kopen.

In Köpmangatan lag een winkel met echte kunst. Papa liep er rond met het gezicht van een kenner en bekeek uitdrukkingsloos de schilderijen en motieven die hij zo imbeciel vond dat zowel de klodderaar als galeriehouder verbannen zou moeten worden: als je niet kon zien wat het voorstelde kon je het geen kunst noemen. Waarom was niet iedere kunstenaar zoals Anders Zorn en Bruno Liljefors?

Ik mocht bij speelgoedwinkel Zetterlunds naar binnen, maar papa werd zo rusteloos dat het zweet hem uitbrak. Alles wat ik voorstelde was te duur of leek op iets wat ik al had of het zou thuis alleen maar rondslingeren. Hij vond dat we beter naar Domus konden gaan om een boek te kopen, of postzegels, die overigens geen cent goedkoper waren. Ik zeurde nooit om iets.

Bij dansrestaurant Monaco in Smedjegatan zat een worstenkiosk waar ik de grootste portie gekookte worst met echte aardappelpuree ter wereld bestelde. Ik nam vier of vijf happen. Papa had trek, maar zei dat hij niet kon proeven aangezien alleen kinderen en zigeuners op straat aten.

Papa nam een vloeibare lunch in café Bakfickan. Een grote pils, ik kreeg sap. Nog een paar andere mannen zaten de krant te lezen of staarden in het niets.

Papa nam alle tijd, volledig geconcentreerd op de bierpul die hij slechts losliet om een sigaret op te steken. Het schuim op zijn bovenlip ving hij met zijn onderlip. We praatten niet zoals thuis. Hij was zwijgzaam, dronk en bestelde er nog een. En nog een. Als ik iets uit de speelgoedwinkel had gekregen, was ik daar een poosje zoet mee.

Ik verveelde me al gauw dood. Zat krom en bungelde met mijn benen, leende een pen van de serveerster en tekende op de servetten. Vlocht een riem en ketting van de frambozenveters, kreeg een paar munten van vijfentwintig öre om op de eenarmige bandiet te spelen. Ik kon de arm alleen naar beneden krijgen als ik met mijn hele gewicht aan de grote zwarte knop ging hangen, maar ik wist in ieder geval hoe het moest. Wat ik won, verspeelde ik meteen weer. Als we eindelijk vertrokken, was ik zo blij dat ik huppelde.

Na Bakfickan gingen we naar de staatsslijterij in Vasagatan, toen die op zaterdag nog geopend mocht zijn. De lange rijen werden snel korter. Papa kocht twee flessen Hongaarse rode wijn en driekwart liter wodka of brandewijn speciaal.

We gingen bij de taxipaal staan met de Alcohol-mondjes-maattas en papa raakte geïrriteerd omdat het zo lang duurde voordat het lukte om een taxi te bestellen. Toen hij in de zwarte auto stapte, trok hij zijn blazer recht. Hij had gevoel voor stijl en detail. Ik vond de taxiritten gênant. Armoedzaaierig op een bepaalde manier.

Voor de deur haalde hij een paar briefjes van tien kronen tevoorschijn om te betalen en ik vroeg hem of hij me op de fiets naar een van de vrouwen in Skiljebo wilde brengen. Tante Majken, tante Nina, nicht Rosita, oma ... Hoewel, liever niet naar oma, die was zo oud, en we zagen elkaar al zo vaak.

PAPA KLOPTE OP het kleine ruitje en Majken opende de deur van de keurig onderhouden villa van gele baksteen.

'Åsa-poppetje, ben jij het!'

'Kan het meiske een paar uurtjes hier blijven?'

'Jajaja. Kom maar binnen!'

Het rook er naar bruine saus, de honger verdrong het gevoel misschien tot last te zijn.

Majken was veel ouder dan papa en meer een moeder dan een grote zus. Toen papa werd geboren had ze verkering met Alexej, de broer van oma Vera. Nadat mama en papa waren gescheiden, bestond er dus nog steeds een band tussen hun families. De onderlinge verhoudingen waren op meer dan één manier gecompliceerd.

Majken en Alexej woonden ook in Skiljebo, honderd meter bij oma en opa vandaan. Majken, vrolijk, leuk om te zien, slank op het knokige af, met krullend ravenzwart haar, werkte als secretaresse bij Byggnads. Alexej, een self-made ingenieur bij Asea, was ook een knappe verschijning, wat voller en altijd in voor een geintje of plagerijtje. Degene die toevallig een complimentje van hem kreeg, vergat dat nooit.

Het huis, dat opa had helpen bouwen, was ingericht met groen veloursbehang, chippendalemeubels, een eethoek, kristallen kroonluchters en een Steinway-vleugel waar niemand op speelde. De franje van de vloerkleden was gekamd. In de keldergarage stond een Mercedes, waardoor buitenstaanders weleens zouden kunnen denken dat de eigenaren conservatief stemden.

Op de bovenverdieping woonde mijn nicht Rosita, die achttien jaar ouder was dan ik en een beetje deed denken aan actrice Lena Nyman, vooral als ze glimlachte. Ze werkte in de longkliniek en rookte een pakje per dag. Ze nam tijd voor me en was de enige die mama niet veroordeelde. Ik wilde worden zoals zij.

In het minimale keukentje bakte Majken cake en maakte koolstamppot terwijl ze ondertussen waste en streek voor haar eigen gezin, voor papa, oma en opa en misschien nog wel meer mensen. Koortsachtig in de weer met duizenden dingen tegelijk had ze altijd haast. Ze was net zo doortastend als alle broers en zussen van papa, maar had nooit tijd om even te zitten voor een praatje, zelfs niet op zondag als we aan het runderbraadstuk of een stuk rolcake zaten. Neeneenee, antwoordde ze op alles. Of jajaja. Ze had geen idee waarop ze antwoordde, want ze had geen tijd om te luisteren.

Ze noemde me Åsa-poppetje of gekkie. Bikkel. Alexej noemde me 'de schrik van de familie', maar Majken zei dat hij dat niet mocht zeggen.

Ik weet eigenlijk niet wat ik deed als ik daar was, maar ik bleef zo lang mogelijk en als het mocht bleef ik slapen. Majken was druk bezig en ik volgde haar als een schaduw, zonder dat we dingen samen deden. We zongen mee met Tore Skogman: 'Die mooie juffrouw Fräken, afkomstig uit Fryken, is Miss Värmland nu dit jaar ...' En ik zei dat ik een zangstem voor haar zou kopen als ik groot was. Ze lachte.

In de hal stond de cobratelefoon op het ladenkastje met laden vol make-up. Rosita leerde me mijn wimpers zwart te maken. Ik spuugde op de droge substantie en haalde hard en snel het borsteltje erover zodat het zwartsel zacht en smeuïg werd. Oude make-up mocht ik mee naar huis nemen. Ik begon me regelmatig op te maken toen ik zeven was. Mama en juf Margit waren ontzet. Als mijn wangen zwartgestreept waren van de tranen, droogde ik ze af aan de mouw van mijn trui.

Op zondag ging ik in bad in de kleine badkamer met de wijnrode tegels. De badkuip werd gevuld met water en badschuim met dennengeur. Het vuil verdween van mijn spichtige lichaam. Majken haalde de warme krultang tevoorschijn en de krullen zette ze vast met haarspelden zodat ik op maandag met kastanjebruine pijpekrullen op school kwam. 's Avonds bracht ze me met een papieren tas pasgewassen kleren naar papa.

Ik was net zo vaak bij mama's oudere zuster Nina en haar man Guido. Zij woonden ook in Skiljebo, in mama's ouderlijk huis in Funkisgatan. Västerås was een grote stad, maar de wereld van papa en mij deed denken aan een dorp met slechts enkele straten.

Hun huis was vierkant met een voorgevel van grijze eternietplaten en lag in de hoek van een grote tuin die zijn eigen leven leidde, tot vreugde van iedereen die er niet verantwoordelijk voor was. Er pronkten leverbloempjes, asters, gewone sleutelbloemen, frambozenstruiken met vruchten zo groot als kaboutermutsen en knapkersenbomen die tot de sterren reikten. In een kas met kapot glas teelde Guido courgette- en bonenplantjes op tot groentes waarvan hij Zuid-Italiaanse gerechten bereidde.

In de keuken met de blauwgroene keukenkastjes geurden de muren zoetig van honderden liters olijfolie die door de jaren heen in de pannen op het fornuis zonder afzuigkap hadden staan pruttelen. Op het aanrecht stond een snijmachine voor prosciutto en een stapel zelfgebakken wit brood met een bruin korstje. Hier maakte Guido focaccia, cannelloni en gegratineerde mosselen. Op zondag haalde Nina soms de pastamachine tevoorschijn en al gauw hing de hele keuken vol bezemstelen en gordijnroeden, rustend op stoelruggen, waarover we de tagliatelle te drogen hingen. Op de bovenverdieping kon je Marianne Faithful en Ulf Lundell horen. Daar woonde mijn neef Andrea, dertien jaar ouder dan ik. Hij studeerde 's nachts en sliep overdag. Intelligent, onrustig. Anarchist. Hij wachtte tot ik groot genoeg was om John Dos Passos te kunnen lezen.

In de woonkamer stond een grote boekenkast met boeken en het oude traporgel van oom Elis, waarop niemand speelde. Elis, al jaren dood, was de broer van Nina's en mama's grootmoeder van vaderszijde. Een zonderling, die op zijn handen plaste om van zijn eczeem af te komen en die door zijn merkwaardige gedrag voor familieanekdotes had gezorgd die liefdevol werden doorverteld. Vergeleken met hem leken alle anderen volkomen normaal.

In de kelder rook het naar nat cement. Daar stond de grote verwarmingsketel die zo vaak kapotging en de ouderwetse wc die altijd bleef doorlopen. De deuren waren zwaar en piepten luid, de verf op de posten vergeelde en bladderde af. Het was op alle mogelijke manieren verwaarloosd, maar iedereen die er ooit was geweest, hield van het bijzondere huis, van zijn geschiedenis en van de mensen die er woonden.

Nina las liever een boek of maakte een kruiswoordraadsel dan dat ze de provisiekast nat afnam. Op de keukentafel lag een stapel boeken en tijdschriften, zoals *Året Runt* en bridgebladen. Ze was vijf jaar ouder dan mama, met weelderige vormen en ze zag er langer uit dan ze was door de grote zwarte knot die als een halve grapefruit midden op haar hoofd prijkte. Ze was assistent-tekenaar bij Asea en actief in de SIF, de Zweedse vakbond voor kantoorpersoneel in de industrie. Royaal met haar tijd hield ze me het hele weekend bezig. Ze naaide, tekende aankleedpoppen, deed spelletjes, maar bovenal: ze praatte met me. De triviaalste onderwerpen werden belangrijk, en gevoelige onderwerpen werden bespreekbaar. Ze had nooit haast en ze begreep mensen, ongeacht hun leeftijd. Geestig, radicaal, zonder vooroordelen of vermanend wijsvingertje.

Ze zei dat ik haar hartenpitje was. Ze noemde me Dreutel. Of Mymla.

Guido was geboren in Taranto en in 1947 naar Zweden gekomen toen ze bij Asea zaten te springen om arbeiders en Italië kapotgebombardeerd was. Zijn ouders bezaten een van de betere restaurants toen Mussolini opdracht gaf alle koperen pannen en ander keukengerei om te smelten tot munitie. Dat was een harde klap voor iedereen, en vooral voor de socialisten. Toch verklaarde het niet waarom zijn vader in diezelfde periode alles wat ze bezaten verbraste.

Oom Guido was kort en gezet, zijn lichaam was bedekt met zwarte krulharen. Hij leek het maar niet koud te kunnen krijgen en liep altijd in slechts een lange onderbroek of een blauwe korte broek. Zijn broccolinavel en grote, fraai gevormde neus konden je moeilijk ontgaan. In zijn mondhoek zat een John Silver die hij eigenlijk niet rookte. Op gezette tijden viel de as in de vacht van zijn borstkas, waaruit een gouden kruisje tevoorschijn piepte. Hij waste zich aan de wastafel in een ruimte naast de keuken en scheerde zich met een mes; als hij klaar was wilde hij een scheerzoen. Trok hij een pak aan, dan was hij verbazingwekkend elegant. Een tovenaar op de dansvloer. Kindervriend.

In Funkisgatan draaide alles om eten. Iedere maaltijd beëindigde Guido met de oprechte constatering dat hij nog nooit zo lekker had gegeten, om vervolgens te vragen wat we de volgende keer, over vier uur, wilden eten. Hij zat over zijn bord gebogen met zijn vork in zijn eten te prikken, kauwde snel en zorgvuldig en sopte de tomatensaus of minestrone op met brood. Hij zweeg als hij at, maar soms legde hij zijn vork neer om van zijn vingers twee tulpenknoppen te vormen die hij kleine rondjes liet maken terwijl hij probeerde iets uit te leggen. Hij kon niets zeggen zonder dat wij zaten te hikken van de lach. Beledigd vroeg hij Nina te vertalen.

Papa lachte het hardst. Hij maakte Guido graag belachelijk om zijn eigen positie te versterken.

Papa was een keer in de zomer in Taranto geweest en dat was hij niet van plan nog eens over te doen. Italië – die stinkende troep ongesorteerde ruïnes – werd bevolkt door werkschuwe hysterici. Het riool liep recht de zee in.

'De mensen die gingen zwemmen, konden zo een drol in hun mond krijgen. Niks deed het, alles was kapoerewiet. Je kunt je wel voorstellen wat voor land dat is.'

Guido op zijn beurt vond dat papa een aframmeling verdiende voor alles wat-ie naar binnen goot. Zelf dronk hij mondjesmaat.

Amore mio, zei oom Guido, en hij noemde mij zijn 'eerste lieflink'. Hij was tot op het bot gekwetst als ik hem met alleen 'Guido' aansprak.

'Iek jouw oom! Oom Guido heet iek, anders niet. Verdomme godver, jij, mijn eerste lieflink, mag nooit meer vergeten', zei hij en hij wees naar mij met wat er over was van zijn wijsvinger die ooit in een koude pers bij Asea bekneld was geraakt.

Op de een of andere manier wist hij er altijd een puinhoop van te maken: op de verkeerde plek te zijn, iemand per ongeluk op te sluiten, zijn paspoort te vergeten, op Kerstavond zijn sleutelbeen te breken, zijn zwembroek te verliezen in het zwembad of iets anders wat hij hees weglachte met de opmerking dat het voor Nina in ieder geval niet saai was om met hem getrouwd te zijn.

Guido was bij toerbeurt voorzitter of penningmeester of iets anders van gewicht bij de Italiaanse Vereniging. Rond de keukentafel in Funkisgatan, waar in de jaren veertig en vijftig de leden van de SKP, de communistische partij, zaten, schoven nu altijd wel een paar Italianen aan om een kop koffie te drinken, een sigaret te roken, hees te lachen en te palaveren. De keukendeur ging open en iemand die net op en neer gereden was naar Italië rolde binnen met een jerrycan olijfolie, verse Parmezaanse kaas, granaatappels en een houten krat cactusvruchten. Degene die een kroonjaar vierde kreeg een levende haan die ter plekke werd onthoofd en klaargemaakt. Italianen maakten ruzie en hielden elkaar de hand boven het hoofd. Zo was het leven in Funkisgatan ook. Veel ruzie, veel liefde. Het ene moment moest Nina zo lachen dat ze het in haar broek deed, het volgende schold ze Guido uit zodat haar charmante onderkin schudde.

Ik probeerde tot zondagavond weg te blijven. Papa had het hele weekend geslapen, hij was alleen met slaapplooien in zijn wang naar de provisiekast gewankeld om de flessen van hun inhoud te ontdoen. Hij opende zijn mond alleen om te zeggen dat het, godverdomme nog aan toe, straks weer tijd is. Tijd om naar zijn werk te gaan.

Opa belde iedere ochtend om kwart over zes. Hij was bang dat we ons anders zouden verslapen. Hij kon maar niet accepteren dat zijn eigen tijd bij Metallverken voorbij was en ook al was hij gepensioneerd, hij liep nog steeds als een waakhond rond om te zorgen dat zijn zoons aanwezig waren in de fabriek. Soms kwam hij met de reservesleutel binnen als we nog lagen te slapen, en ging op een stoel naast het bed zitten wachten tot het tijd was om ons te wekken. Hij boog zich voorover en stootte papa zachtjes aan met zijn pezige arm.

'Leffe, wakker worden! Leffe! Tijd om naar je werk te gaan, Leffe! Opstaan, meisje!'

Het was afschuwelijk om in het donker door die oude man uit je slaap gerukt te worden. Papa, eerst geschrokken en vervolgens gekwetst, schoot in zijn lange onderbroek overeind en begon te schelden. Opa zette stoïcijns de stoel terug en fietste naar huis, om een paar dagen later weer precies hetzelfde te doen.

Als papa op zijn rechteroor sliep, was het risico groot dat hij de wekker niet zou horen omdat hij nagenoeg doof was aan zijn linkeroor. Dat wist opa.

Drie minuten over zeven klokte papa in. Voor die tijd zette hij mij af bij de crèche en later bij de voorschoolse opvang. Hij moest me meerdere malen wakker maken en haastig iets van kleren bij elkaar zoeken. Het ging snel, ook nu wasten we ons niet en het ontbijt sloegen we over.

Het enige wat tijd in beslag nam was papa's ochtendbraken.

Hij stond licht voorovergebogen boven de gootsteen in de keuken, leunend op zijn linkeronderarm. Zijn rechterarm lag op het aanrecht, zijn duim wreef over zijn wijsvinger.

Hij kotste dun braaksel zonder inhoud uit, geel van het bier van de vorige dag. Keek beheerst op, en door het raam naar buiten, kotste nog een beetje. Zijn duim streelde zijn wijsvinger, langzamer nu. Als we op het punt stonden te vertrekken, moest hij nog een keer braken. Ik wachtte in de hal, hoorde hoe hij vlug water door de gootsteen spoelde, zonder goed schoon te maken.

'Zenuwen', zei hij.

Op de fiets, ik op de bagagedrager.

Ik kan me niet herinneren dat we iemand tegenkwamen. Alle andere mensen zaten te ontbijten. Lazen de krant, luisterden naar de radio, maakten het bed op, haalden mooie kleren uit de kast tevoorschijn.

Ik was altijd het eerste kind op de crèche. Als papa veel te doen had op zijn werk, was ik er al voordat ze opengingen.

'Er komt zo iemand', zei hij en hij liet me voor de deur achter.

Daar stond ik, alleen in het donker, voor het gesloten, twee verdiepingen hoge gebouw van witte baksteen, en ik keek naar de huurhuizen aan de overkant, waar een voor een de keukenlampen aangingen. Spuugde geel snot in de sneeuw, trok mijn handen in de mouwen van mijn jack. Stampte op de plaats om de kou en de angst op afstand te houden. Ik wachtte tot Gun, de kookster, opdoemde tussen de flats.

'Ben je er al, Åsa?' vroeg ze, terwijl ze me meenam naar de grote keuken.

Gun gaf me warme chocolademelk en mariakaakjes met boter. Als de juffen arriveerden en zagen dat ik er al was, zei Gun altijd dat we tegelijk waren aangekomen. Met veel volwassenen had ik een geheimpje.

'Hoe kon je dat doen?' vroeg ik toen papa me kwam halen. 'Ik was bang, het was donker!'

Hij antwoordde altijd hetzelfde.

'Wat had ik dan moeten doen?'

Dergelijke dingen deed hij ook volkomen onnodig: opstaan zoals gebruikelijk om mij naar een gesloten crèche te brengen, zeggen dat er gauw iemand zou komen en door- fietsen. Na een paar minuten pikte hij me dan op en reed naar huis, ging weer naar bed en sliep verder. Hij had al die tijd geweten dat het zondag was, wilde alleen het gevoel ervaren dat hij halverwege kon omkeren en denken: ik heb schijt aan alles, nu ga ik naar huis en kruip weer in bed!

Als ik niet naar Metallverken ga, stagneert de hele boel, zei papa. Soms had hij spit en kon niet werken, één keer had hij een gebroken sleutelbeen. Alle andere dagen ging hij naar zijn werk.

Het kantoor van de uitkeringsinstantie lag recht tegen- over het arbeidsbureau, ze deelden de roltrap. Toen papa in de ziektewet zat vanwege zijn sleutelbeen, waren we daar om geld te regelen. We namen de lange roltrap naar boven en gingen naar links. Ik draaide mijn hoofd en zag door de glazen deur van het arbeidsbureau hoe mama een werkloze hielp met zijn afsprakenkaart. Het kwam niet in me op om aan papa te vragen of we mama even gedag konden zeggen. Geen van beiden zou dat prettig hebben gevonden.

Het klamme zweet brak papa uit bij de uitkeringsinstan- tie, hij was bang dat er een probleem was met de dokters- verklaring of iets anders. Na afloop was hij opgelucht. We gingen naar de Sigmapassage en kochten een aardewerken spaarpot die Gunnar Sträng, de minister van Financiën, voorstelde.

Papa had overal pijn, zijn lichaam deed hem altijd zeer. Hij probeerde zijn pijnlijke rug en gezwollen, harde schouders los te maken door zichzelf overal waar hij bij kon met ge- balde vuist te stompen. Op sommige avonden was de ver- moeidheid zo enorm dat hij bang was het bewustzijn te ver- liezen.

'Als ik flauwval, moet je aanbellen bij de familie Eldén.'

'Hoe doe je als je flauwvalt?'

'Dat zie je vanzelf.'

Er was een ruimte vlak bij Metallverken waar rijen mannen op britsen lagen en een warmtebehandeling voor hun rugklachten kregen van een vrouw in een witte jas. De zaal had een hoog plafond, een houten vloer en de deuren waren groot en zwaar. Ouderwets, als in een zwart-witfilm. Mij werd gevraagd op een stoel een eindje verderop te wachten, maar ik rende voortdurend naar papa toe om met hem te praten. Hij keek bezwaard.

Ik was zelf ook weinig ziek, een lichtblauw pakje kinderaspirine diende mijn hele kindertijd uit. En als ik verhoging had, werd ik evengoed door papa bij de crèche afgeleverd. Als ik al te ziek was, wilde het personeel hem opbellen. Ik smeekte ze om het niet te doen.

'Dat kan niet! Papa is meester-harder, niemand kan staal maken als hij er niet is.'

Kon ik absoluut niet naar de crèche, dan werd opa opgetrommeld. Hij zette me op de bagagedrager en we reden naar het meer om eendjes te voeren of te vissen. Majken of Märta, de dochter van oom Olle, ging met me naar het consultatiebureau. Papa zei dat hij geen vrij kon krijgen van zijn werk. Dokter Swahn was kinderarts in Viksäng en met zijn zilverwitte haar zag hij eruit als oom Blauw. Met droge, koele handen drukte hij in je buik en hals. Hij trok aan het elastiek van je onderbroek om te kijken of die schoon was. Hij vroeg of ik in mijn eigen bed sliep en zei dat ik een flinke meid was.

Voor zijn omgeving was papa een vat vol tegenstrijdigheden. Zijn broers en zusters bewonderden hem omdat hij zo hard werkte, complimentjes die hij ook bij Metallverken kreeg, maar tegelijkertijd scholden ze op hem omdat hij zo'n sloddervos was.

Zelf voelde hij zich een werkpaard waar niemand naar

omkeek. Misbruikt, uitgebuit en minderwaardig, zonder aanzien en positie in de samenleving, ook al heeft hij dat zelf nooit zo geformuleerd. Hij sprak over zichzelf als de beste harder van Zweden. Hij had gehoord dat er ergens in het land eentje was die bijna net zo bekwaam was – bijna. Hij was nummer één.

'Als je me een keer op mijn werk moet bellen, moet je vragen naar meester-harder Leif Andersson!'

Hij bracht het tot ploegbaas. Het bedrijfsblad van Metall-verken maakte een reportage van zijn afdeling. De foto van de werkploeg was de enige glimp die ik ooit van zijn collega's te zien kreeg. In het bijschrift werd hij gepresenteerd als 'ploegbaas Leif Andersson'.

'Zie je wat daar staat? Ploegbaas Leif Andersson! En wie is dat? Juist, dat ben ik!'

Hij bewaarde het blad in de keukenla en haalde het af en toe tevoorschijn om zichzelf te bewonderen.

Al papa's gevoel van eigenwaarde zat in zijn vakbekwaam-heid, toch haatte hij het om naar zijn werk te gaan. Hij noemde Metallverken 'Mentaaltergen', maar dat mocht ik aan niemand vertellen.

De zaken gingen goed bij Metallverken, de bestellingen waren regelmatig zo groot dat papa tot laat in de avond of midden in de nacht moest werken. Ik moest met hem mee. Heen en weer, heen en weer, bracht hij ons naar Mentaalter-gen en weer naar huis. Meldde ons aan bij de bewaker aan de fabriekspoort, klokte in, stak een sigaret op. Viste iets uit de oven – 'dingen' noemde hij ze als ik vroeg wat het was – bewerkte ze, legde ze terug of legde iets nieuws erin. Ik zag alleen zijn brede rug en hoe hij zijn armen routineus en vastberaden ophief en liet neerkomen. Hij pauzeerde even, nam een trek van zijn sigaret en haalde een hand door zijn haar.

Hij deed alleen het licht aan in de ruimte waar hij werkte. Rondom bevonden zich de ondiepe waterbassins waarin je de gloeiend hete voorwerpen vlug kon onderdompelen. Ik was bang mijn evenwicht te verliezen en in het water te vallen. Hij zei dat het gevaarlijk was om in dezelfde ruimte te verblijven als hij. Ik trok me terug in de grote, donkere fabriekshal en keek toe hoe hij daar aan het andere eind van de wereld stond te zweten. We waren helemaal alleen, er werd niet in ploegendienst gewerkt op zijn afdeling.

Ik heb nooit begrepen wat hij deed of waar het werk voor diende. Hij zei dat ze speciale onderdelen voor onder andere Volvo vervaardigden, maar dat was niet afdoende om me te laten ophouden met denken aan Metallverken als aan die pikzwarte plek waar onbegrijpelijke dingen gebeurden.

Het ging vlug. Hij pakte zijn klokkaart en stak nog een sigaret op terwijl hij wachtte tot de klok doorklikte naar de volgende minuut. Dat duurde een eeuwigheid.

'Kloteklok!' zei hij en hij sloeg met gebalde vuist op de klok.

Die reageerde niet. Hij werd bang.

'Jezus, tegen niemand zeggen dat ik zo heb gedaan! Anders kan het nog slecht aflopen.'

Ik had medelijden met ons allebei als hij ons door de nacht trapte. Nooit voelde Pilgatan zo eindeloos lang en blonken de rode stoplichten op de kruising met Björnövägen zo boosaardig. Naar huis, Åsa! schreeuwden ze. Je hoort hier niet te zijn! Waarom lig je niet thuis in je bed?

De tl-verlichting bij de gesloten snackbar brandde en ik was onzeker of ik het wel goed las. Tropical, wat betekent dat? Waarom staat er niet Tropikaal?

Papa leek niet te lijden onder het nachtwerk. Hij wist dat de voorman hem zou prijzen. Hij deugde ergens voor.

'Straks krijgen we heel veel lall,' zei hij iedere keer, 'maar niet tegen die wijven op de crèche zeggen dat we 's nachts werken, want daar hebben ze niks mee te maken.'

Er was veel wat ik niet mocht vertellen. Zoals dat hij de radiatoren ontlucht had en de hele keukenvloer onder water stond. We dweilden urenlang met alles wat we maar konden vinden. Alle lakens werden uit de kast gehaald, het gestreken textiel kraakte als bevroren sneeuw toen we het uitvouwden. Ten slotte viel ik op de vaste vloerbedekking in de hal in slaap, met mijn gezicht naar papa toe, die piepte dat we geen inboedelverzekering hadden en dat het een catastrofe zou zijn als het huis waterschade opliep.

'Niks tegen de wijven op de crèche zeggen! En al helemaal niet tegen opa, goddomme!'

ALS PAPA ME op de crèche kwam ophalen, bleef hij in de hal staan. Ik kleedde me vlug aan. De juffen zeiden een paar vriendelijke woorden en papa antwoordde verlegen. Zijn dankbaarheid tegenover de kinderopvang en degenen die daar werkten kende geen grenzen. Hij klaagde nooit ergens over, was nooit geïrriteerd. Er was ook sprake van een zekere angst. Voor hem vertegenwoordigde het personeel de autoriteiten, ze waren een verlengstuk van de overheid.

Een keer was hij aanwezig bij een koffiebijeenkomst voor de ouders. Hij was zichtbaar nerveus, maar ontspande toen hij zag dat hij de enige man was tussen allemaal moeders en juffen. Hij begon grapjes te maken en werd aangemoedigd door het gelach van de vrouwen.

Zijn voorraad komische anekdotes was onuitputtelijk.

Op een gegeven moment ging hij staan en vertelde als in trance de ene mop na de andere. Hij voerde hen als het ware, losjes met zijn rechterarm zoals hij komiek Roffe Bengtsson had zien doen. Hij wist van geen ophouden, zelfs toen ze de vuile kopjes begonnen op te stapelen ging hij nog door.

'Allemachtig, wat hebben ze gelachen!' grinnikte hij toen we thuiskwamen. 'Zo veel lol hebben die wijven nog nooit gehad, daar kun je donder op zeggen!'

Ik vond het pijnlijk dat hij een mop had verteld die we thuis op een plaat van Magnus en Brasse hadden staan en waarin Magnus' verontwaardigde pointe iets was met 'seks op het toilet'. Papa vond het mateloos grappig en hij tilde altijd de naald van de platenspeler op om hem terug te zetten vlak voor het hoogtepunt: ... *seks op het toilet* ... *seks op het toilet* ... Hij kon maar niet genoeg krijgen van de grap – van de woorden – en nu had hij die voor alle juffen en moeders ten gehore gebracht, die dubbel hadden gelegen van het lachen.

Na die avond voelde papa zich genoodzaakt altijd grappig te zijn als hij me kwam ophalen. Dat kwelde hem. Het ergste, zei hij, waren mensen die leden aan charmediarree – die waren onbetrouwbaar, niet integer – en nu liep hij het gevaar als zodanig te worden beschouwd.

Papa ging niet meer naar ouderbijeenkomsten en dat was maar beter ook. Hij deed zichzelf geen recht in dergelijke situaties. Maar hij was aanwezig bij de jaarafsluiting van groep vijf. Mama en hij zaten naast elkaar in de aula van de Viksängsschool. Hoe het zo kwam dat ze er allebei waren weet ik niet, maar ze zagen er mooi uit samen. De directeur wenste ons een fijne zomer en na afloop haastte mama zich naar haar werk. Papa had de hele dag vrij genomen en maakte geen aanstalten om naar huis te gaan. Hij had juf Ingeborg nog nooit ontmoet en ze vroeg of hij onze klas wilde zien. Nou, graag!

Hij keek om zich heen, alcoholdampen verspreidden zich in het lokaal dat was schoongemaakt voor de zomervakantie. De tekeningen waren van de muur gehaald, de bankjes afgenomen.

'En hier houden jullie je bezig met Axel von Fersen en zo, begrijp ik.'

'Eh, inderdaad ja, in het najaar beginnen we met de Franse Revolutie.'

'Ja ja, natuurlijk. Dat klinkt goed.'

Toen we naar huis gingen, vroeg hij of ik me de tweede helft herinnerde van dat alfabetvers dat we duizenden keren hadden gelezen.

'Je weet wel, van die Hellsing. "Ingeborg, Ingeborg, waar is toch je vingerhoed?" Ik moest aan dat versje denken, maar wist niet meer hoe het verder ging.'

'Dat was misschien maar beter ook.'

'Ja, misschien wel.'

Hij zei dat Ingeborg een mooie naam was. Zijn moeder heette ook zo.

'Het is een verdomd goeie juf, zeker?'

'Ze is hartstikke goed.'

'Dat geloof ik graag. Maar hoe gaat dat rijmpje?'

Als mama wist dat er een ouderavond was, ging ze erheen. In de onderbouw stelde ze ter discussie dat iedere ochtend het Onze Vader werd gebeden en dat we psalmen zongen. Dat we gedwongen werden voor het eten te bidden en te danken. Juf Margit antwoordde dat het goed was om de psalmen te leren voor toekomstig kerkbezoek. In dat geval, zei mama, zouden de kinderen toch ook 'De Internationale' moeten leren vanwege toekomstige 1-meidemonstraties? En ze vroeg waarom de klas een strafhoek had. En waarom de kinderen een knix of een buiging bij de lessenaar moesten maken.

'De school moet opleiden, niet opvoeden! De leerlingen moeten democraten worden, gelijkheidsdenkers.'

De andere ouders zaten er zwijgend bij.

Mama verfoeide het rapportsysteem. Juf Margit verfoeide mama. Blootsvoets lesgeven in een kring op de grond, dat was niet haar pakkie-an.

De school en de buitenschoolse opvang zaten in verschillende gebouwen, papa wisselde iedere dag een paar woorden met de juffen van de opvang, maar juf Margit ontmoette hij maar zelden. Ik vertelde hem over 'De heer is mijn herder' en hij zei dat het een schandaal was dat zulke oude teven verantwoordelijk waren voor kinderen.

Thuis, als alleen ik het kon horen, was papa grof in de mond. Samen met anderen heb ik hem nooit een onvertogen woord horen zeggen.

Wanneer hij Margits lokaal binnenstapte voor een tien-minutengesprek, gingen zijn schouders omhoog en zochten zijn voeten elkaar. Hij was bang dat hij zelf beoordeeld zou worden.

Margit liet mijn schoolschriften zien.

'Åsa is erg goed op school. Heel erg goed in alle vakken.'

Papa ontspande en tastte met zijn ene hand naar zijn pakje sigaretten, maar bedacht zich. Margit liet een tekening zien van de barmhartige Samaritaan en zei dat ik buitengewoon geïnteresseerd leek in de godsdienstlessen.

'O ja, dat is Åsa absoluut! Zulke dingen zijn heel interessant. En belangrijk ook.'

Ze haalde een formulier tevoorschijn dat papa moest ondertekenen. Hij werd weer nerveus. Hij trok met zijn mondhoek terwijl hij geconcentreerd en zwijgend zijn handtekening zette. Leif Andersson. De letters f en A smeedde hij met een mooie krul aan elkaar. We zeiden gedag en Margit ging bij het raam staan om zijn handtekening in het licht van de lenteavond te bestuderen.

'Leif!' riep ze. 'Leif, je hebt echt een prachtig handschrift!'

Papa was vrolijk toen we de school verlieten. Dat wijf was in feite een prima wijf! Maar wat een dikke reet! God was zeker in een lollige bui toen hij dat achterwerk schiep.

Juf Margit zei dat ik de beste van de klas was, ze rangschikte en klasseerde met de grootste vanzelfsprekendheid. Desondanks kreeg ik drie jaar lang geen enkel gouden sterretje. Het was alsof ze zich er niet toe kon zetten een schrift op te sieren dat toebehoorde aan zo'n smerig en vreemd kind, ze deed het af met een haastig getekend sterretje in blauwe balpen. Eén keer kreeg ik een rood sterretje en papa was ontzet. Dat kon alleen maar betekenen dat dat mens erachter was gekomen dat we bolsjewieken waren.

In de bovenbouw werd Helene mijn beste vriendin, de enige die niet in een flat woonde. Helenes moeder werkte parttime bij de posterijen en haar vader bij het databedrijf Telub. Ze was knap om te zien, met lang dik haar en dure kleren. Het verbaasde me dat ze met mij vriendin wilde zijn, maar ze was volledig vrij van vooroordelen. Royaal, geestig, eerlijk. Als ik haar niet had gehad, had ik waarschijnlijk niemand gehad. Ik hield zo veel van haar dat het lichamelijk pijn deed en wenste vurig dat ze ooit in een situatie verzeild zou raken waarin ik háár kon verdedigen in plaats van andersom.

We bleven tot het einde van de middelbare school vriendinnen. Papa was verrukt van haar en vooral onder de indruk van het feit dat ze niet in staat leek te transpireren en in witte schoenen rondliep zonder dat er ook maar een smetje op kwam.

OVER HET UNIVERSUM wist papa te vertellen dat de zon een ster was en dat de meeste sterren groter waren dan de aarde. Hij wist dat de hoofdstad van de Verenigde Staten Washington was en niet New York, zoals iedereen dacht. Net zoals hij wist dat Afrika een continent is dat uit verschillende landen bestaat. En dat het niet Amerika, maar Noord-Amerika en Zuid-Amerika is. Al denken die bandieten in het Witte Huis natuurlijk dat alles van hen is.

Papa had zes jaar lagere school gehad en was verre van algemeen ontwikkeld. Maar hij was een kritisch denkend mens. Het probleem was echter dat hij alleen mij had om mee te discussiëren. De woordenwisseling met opa na de warme snoekbaars was maar kort. Opa hield een betoog, zijn rechterhand opende en sloot zich in de maat met het op- en neergaan van zijn adamsappel. Papa antwoordde vermoeid.

'Ja ja, zeg dat wel. Het is klote, zo is het.'

In de keuken in Björkgatan was hij korzelig, maar daarbuiten was zijn opdracht te amuseren. Hij dreef graag de spot met zichzelf, maar als iemand zich vrolijk maakte ten koste van hem, was hij diep gekwetst. Met Kerst, als ze met broers en zusters onder elkaar waren, was hij het mikpunt van spot, tenzij ze ervoor kozen hem ongezouten de waarheid te zeggen. Hij speelde het spel mee zonder te tonen hoe verdrietig hij zich voelde. Soms diende hij hun met een charmante glimlach van repliek – in het grove lichaam woonde een wurger met zijden handschoenen.

Het kon gebeuren dat ze mij meekregen in hun pesterijen. Tijdens een Kerst zat ik op de chippendalebank bij Majken papa te plagen dat hij zo lelijk was, wat helemaal niet zo is. Ik oogstte het ene lachsalvo na het andere. Papa lachte ook. Toen we thuiskwamen zei hij dat ik hem verdriet had gedaan en hij vroeg zich af wat me ertoe had gebracht. Stel je voor, zei hij, dat ik jou aan mensen voorstel als 'mijn lelijke dochter', dan zou je toch ook verdrietig worden?

Zijn onwil om zich aan te passen en te gedragen zoals anderen provoceerde zijn broers en zusters. Ze bewonderden hem om zijn fysieke kracht en vakbekwaamheid, maar de onverantwoorde gemakzucht die toesloeg als zijn werkdag ten einde was, dat hij vond dat hij recht had op vrije tijd na een dag hard werken, begrepen ze niet. Ze vergaten graag dat hij overal alleen voor stond, ook al kreeg hij de nodige hulp van zijn ouders en Majken. Ze constateerden slechts dat hij altijd blut en aangeschoten was. Vonden hem een verwend nakomertje dat nooit volwassen had hoeven worden. Als ze dat zeiden vroeg ik me af welke volwassen eigenschappen papa volgens hen miste.

'Leffe is een bohémien', fluisterde tante Görel tegen oma.

Dat was een opmerking waar ze niet om had gevraagd.

'Een wát? Wat zeg je dat hij is?'

'Een bohémien, moeder. Leffe is een bohémien.'

'Ja ja, Leif is flink. Hij is echt een doorzetter.'

Papa op zijn beurt vond zijn broers en zusters simpel. Ze lazen geen boeken, hadden niets met toneel op tv en namen geen standpunt in over belangrijke vraagstukken. Hij mocht ze graag, maar gesprekken met hen leverden niets op – het was niet zoals praten met Tanja en haar familie. Hij miste de betogen van opa Julle over hoe Stanislavski *Moeder Courage* repeteerde. Natuurlijk had Julle hem een minderwaardigheidscomplex bezorgd, maar hij had hem ook het gevoel gegeven dat hij iemand was met wie je kon praten over dingen die de sensatie in de avondbladen rond oud-bokser Bosse Högberg overstegen.

Papa's broers en zusters deelden mensen in naar hoe ze zich gedroegen, oma en opa beoordeelden mensen naar of ze behulpzaam en rechtschapen waren, mama vroeg zich af wat mensen stemden. Als papa andere mensen beoordeelde, was het naar hun intelligentie – willekeurige oordelen waarvan hij zich zelden genoodzaakt zag ze bij te stellen.

Een grotere mafkees bestaat niet, zei hij over wie dan ook, maar vooral over de ministers in die vervloekte driepartijencoalitie. Van de kring rondom premier Fälldin was er niemand die ze allemaal op een rijtje had. Ze waren gewoon niet goed bij hun hoofd. Kierewiet, dat waren ze.

'Gaatje, gaatje, hersencel, zo ziet het er in het hoofd van de meesten van hen uit. Je kunt je voorstellen hoe eng dat is!'

Op de keper beschouwd, zei hij, kun je een beangstigend groot deel van de bevolking indelen in idioten en achterlijke idioten.

Er was maar weinig voor nodig om hem ervan te overtuigen dat degene die voor hem in de rij bij de kassa stond niet veel in zijn mars had.

'Hopeloos geval.'
'Van lotje getikt.'
'Niet al te snugger.'
'Niet helemaal bij.'
'Ja-knikker!'
'Blinde vink!'

Zo verhoogde hij zijn gevoel van eigenwaarde. Meerdere keren per dag.

Papa praatte niet graag over zijn schooltijd, eerst op de Gryta- en later op de Korsängsschool. Het enige verhaal dat ik te horen kreeg, ging over de legendarische koordirigent Bror Samuelsson, die gekleed in een schreeuwerige cape en alpinopet de klas binnenkwam om de zangkunsten van de leerlingen te beoordelen. Toen hij papa had afgedaan als incapabel, haastte de juf zich te zeggen dat Leif best wel kon zingen. Ik geloof dat dat zijn enige echt grote moment op school was. Zijn rapporten waren middelmatig, hij wist dat zodra hij veertien werd de bedrijfsschool van Metallverken op hem wachtte, waar drie van zijn vier broers hem waren voorgegaan. Voor opa was het vanzelfsprekend zijn zoons naar dezelfde werkgever te sturen als waar hij zelf zijn hele leven de kost had verdiend. Alleen Rolf ontsprong de dans. Pas toen hij ouder was, ging opa het anders zien.

'Meiske, ik heb Wallenberg gevoed met mijzelf en mijn jongens. Wie bedankt mij daar vandaag de dag nog voor? Niemand!'

Je wordt als arbeider geboren, zei papa, dat is niet iets waar je zelf voor kiest. Als hij een miljoen in de loterij zou winnen, zou hij voorgoed uitklokken en dan moest iemand anders het staal maar harden. Wie, dat kon de ovens misschien niet schelen, maar het liefst brandden ze toch voor hem. Hij was hoe dan ook de beste staalharder van Zweden.

Papa overhoorde graag mijn aardrijkskunde en geschiedenis, maar vond het moeilijk als ik met Engels aankwam. Hij beheerste de taal niet en hield sowieso niet van Engeland omdat het het saaiste land ter wereld was. Hij kende slechts een paar woorden, zoals *okay* en *all right* – dat hij uitsprak als 'olrei'. Maar hij deed graag alsof hij Engels sprak. Met mij als publiek beeldde hij scènes uit waarin hij zelf alle rollen speelde. Vaak was de locatie een luxe restaurant, waar de sympathie bij de bediening lag. Of hij gaf monologen ten beste met zijn benen gekruist en zijn armen nonchalant op zijn knieën, een sigaret in zijn ene hand en een bierglas in de andere, terwijl hij zich voorstelde dat het whisky was. Ik geloof dat hij de Ier Dave Allen imiteerde, maar het was onmogelijk te verstaan wat hij zei omdat we geen van beiden Engels kenden.

'*Uwellkissingeridiotbibikingokay* ...' Ik moest zo lachen dat ik niet wist waar ik het zoeken moest. Hij genoot.

Het duurde een poos voordat ik hem ontmaskerde. Dat hij al die jaren een taal had geïmiteerd waarbij niets van wat hij zei iets betekende. Ik voelde me bedrogen toen ik begreep hoe de vork in de steel zat. Het was niet langer leuk, het was alleen maar tragisch dat hij de gek stak met zijn eigen onkunde. Zo zag ik het, maar hij niet. Hij wilde gewoon een beetje pret maken.

'Wat moet ik met die imbeciele zigeunertaal?' vroeg hij en hij ging door met zijn *weljusjorupsokenjojok* ...

'Hou op, papa, je bent niet leuk!'

Hij ging door.

'Hou op! Hou nou op!'

Hij werd kwaad, misschien omdat hij door de mand was gevallen of omdat ik hem zijn lolletje niet gunde, en hij erop stond dat hij echt Engels beheerste.

'Het is echt Engels, ik praat echt Engels!'

Toen ik op school tot andere talen werd gedwongen, zag ik mezelf in papa's leunstoel zitten in een overhemd en gabardine broek met een bierglas in mijn hand zonder me verstaanbaar te kunnen maken, hoeveel geluid ik ook produceerde.

IN DE BOEKENKAST lagen zwarte notitieboekjes waarin papa sportuitslagen bijhield; de pagina's waren gevuld met rechte kolommen met de uitslagen van verschillende skikampioenschappen. Voor de Olympische Spelen in Montreal in 1976 kochten we een kleuren-tv op afbetaling, die we met een taxi naar huis transporteerden. Ik was als de dood dat we te veel geld hadden uitgegeven, bedacht dat ze op een avod zouden aanbellen om de onbetaalde tv weg te halen en dat ik papa hoorde zeggen dat dat helaas niet ging omdat hij hem had uitgeleend aan zijn broer.

Het kostte hem dágen om de twee kanalen in te stellen.

'Het belangrijkste is dat we beeld hebben bij het turnen.'

Het beeld was perfect toen Olga Korbut, de Mus van Minsk, haar evenwicht verloor tijdens de vrije oefening. Nadia Comaneci kreeg het publiek ritmisch aan het klappen, en ik dacht echt dat papa een ongeopend blikje bier tegen de beeldbuis zou gooien.

Papa verafschuwde Roemenië. Van alle klootzakken ter wereld was Ceauşescu de grootste. Hij had gehoord dat Ceauşescu een wereldkaart had laten maken waarop Boekarest was gemarkeerd met een robijn zo groot als een pruim. Die man had toch iets niet helemaal begrepen van het socialisme. Die kloothommel moesten ze onder curatele stellen voor zijn grootheidswaanzin, naar een marxistische basiscursus in Siberië sturen, zijn geval afsnijden.

Papa was zowel voor Zweden als voor de Sovjetunie. Toen ze tegen elkaar ijshockeyden, hoopte hij dat ons team, Tre Kronor, zou winnen en toch schreeuwde hij van blijdschap toen Petrov, Michajlov, Charmalov en de andere virtuozen maakten dat het ijs eruitzag als een zak rood-wit gestreepte zuurstokken. Als het Sovjet-Russische volkslied gespeeld werd, zat hij voorovergebogen in zijn leunstoel.

'Godsamme, Natasja, mooiere muziek bestaat niet!'

Ik vond het absoluut niet vreemd dat papa voor de Sovjet-unie was. Hij zei immers van zichzelf dat hij communist was. Vreemder was het dat mama niet net zo onvoorwaardelijk voor de Sovjets was, ze was immers partijlid, half-Russisch en had zelfs in Moskou gewoond. Jaren later begreep ik dat het om veel meer ging dan ideologie. Het was zijn liefde voor mama en de antifascistische erfenis van Funkisgatan waarvan hij zo graag deel wilde uitmaken. En het was ook de charme van de Russische esthetica, of liever gezegd het blauwe porselein met gouden randje van het tsarisme. Van de wolken in Majakovski's broek had hij geen verstand en om de veelbesproken grauwe apathie maalde hij niet. Hij had genoeg aan zijn eigen misère.

Eén keer was hij in de Sovjetunie geweest. Dat was andere koek dan Italië! Van alle volkeren waren de Russen het sympathiekst, bovendien spraken ze de mooiste taal ter wereld. Alleen pijnlijk dat hij die leuke serveerster 'oma' noemde toen hij 'juffrouw' wilde zeggen. En Moskovskaya-wodka was ongeëvenaard: je voelde niet dat je dronken werd, dat merkte je pas als je opstond en niet kon lopen. De volgende ochtend had je niet eens een kater. Allemachtig, wat was het socialisme superieur in vele opzichten!

Door de reis ontspon zich een anekdote rond papa waarvan ik nooit het waarheidsgehalte heb kunnen vaststellen. Alexej vertelde geamuseerd hoe verveeld papa was geweest in het Winterpaleis en dat hij ten slotte op de troon van Peter de Grote was gaan zitten, wat natuurlijk verboden was. En dat was nog niet alles: hij speelde voor tsaar met dezelfde inleving als Ernst-Hugo Järegård die een monoloog ten beste gaf. Zijn gezicht hing slap en het kwijl liep uit zijn mond terwijl hij doodvonnissen uitsprak over de onthutste toeristen. Toen de bewakers kwamen aanstormen om hem eruit te gooien, verklaarde Alexej in zijn beste Russisch dat papa geestesziek was en hier en daar voor tsaar placht te spelen.

Papa zei niets als Alexej zijn verhalen ten beste gaf, maar als we samen thuis waren, trok hij van leer.

'Hij moet nodig wat zeggen; met zijn kever vol conserven reed-ie naar Italië. Felix-spaghetti en gehaktsaus uit blik at die gierige klootzak. In Taranto!'

Dat papa voor de Sovjetunie was, had misschien vooral met zich buitengesloten voelen te maken. De Sovjetunie was het bespotte land waar iedereen tegen was, waarvan de sporters door de sportjournalisten enerzijds belachelijk werden gemaakt vanwege hun gedateerde kleding en anderzijds tegen wil en dank bewonderd vanwege hun superioriteit. Artiesten die er soms in slaagden publiekslieveling te worden. Zo droomde hij over zichzelf. Eenzaam en buitengesloten maar zo onvermoeibaar en bekwaam dat iedereen zijn petje voor hem moest afnemen.

Gerespecteerd, erkend en geliefd. Ondanks alles.

Als hij in de Sovjetunie had gewoond, had hij er natuurlijk anders over gedacht. Hij, die zich nog niet kon aanpassen aan de Zweedse conventies, had het sovjetsysteem onmogelijk kunnen verdragen.

Meestal was papa voor geel-blauw. Hij was blij dat hij Zweed was. Hier had je de mooiste natuur ter wereld en de hoogste welvaart. Stockholm – het Venetië van het Noorden – was de prachtigste hoofdstad van het universum, daar was iedereen het over eens die er ooit was geweest. Zijn bijdrage was het vervaardigen van een staal dat internationaal zijn weerga niet kende.

Papa vond de omringende wereld onderontwikkeld vergeleken met Zweden.

Toch waren er Zweedse sporters waar hij zo'n hekel aan had dat hij ze alle denkbare tegenslag toewenste. Hij hoopte dat Ragnar Skanåker – die blinde vink, reactionair, racist –

zou uitglijden met zijn geweer en zichzelf per ongeluk do-
delijk zou verwonden of toch op z'n minst in zijn voet zou
schieten. Met tennissen was hij zelfs voor de yankees, als die
saaie mafkees Björn Borg maar niet zou winnen. Toen Inge-
mar Stenmark met zijn miljoenen naar Monaco verhuisde,
legde hij met een zware zucht mijn Stenmarkmuts helemaal
achter in de kleerkast, onder een tas scheepstouw.

WE GINGEN VAAK naar Arosvallen en Rocklunda om de Västerås Sportklubb te zien voetballen of bandy spelen.

'Klotescheids!' schreeuwde papa op gezette tijden en ik schreeuwde hetzelfde, al had ik geen flauw idee waarom.

Hij had het naar zijn zin op de houten tribune tussen de andere mannen. Het kostte hem geen moeite contact te leggen met andere mensen en hij was altijd op een natuurlijke manier leuk tegen anderen.

VSK won altijd met bandy en verloor even vaak met voetballen, en toen ze in 1978 degradeerden uit de eredivisie werden onze bezoekjes aan Arosvallen minder. Papa had een afkeer van supporters die alleen kwamen als het goed ging, maar hij wilde overwinningen meemaken, en geen nederlagen.

Tijdens lenteavonden fietsten we rond en bleven staan kijken naar buurtvoetbal, jongens en meisjes die trainden of een wedstrijd speelden. Het leek niet in papa's hoofd op te komen dat ik een van die kinderen op het veld had kunnen zijn, en daar was ik blij om. Ik was waardeloos in alles wat met sport te maken had en spijbelde zo vaak ik durfde van de gymlessen.

Ik kon niet eens jojoën. Papa kocht een zwarte, glanzende jojo, een Kalmartrissa, en instrueerde me geduldig. Sensueel bedwong zijn rechterhand de jojo, sloeg de jojo in een spin, dwong hem behoedzaam tot salto's. Mij lukten zelfs de eenvoudigste trucjes niet, terwijl hij de jojo met zijn stijve knuisten kon laten doen wat hij maar wilde.

Toen papa jong was speelde hij linksbuiten bij de Skiljebo Sportklubb, de tweede grote club in Västerås. We hielpen SSK door lootjes te verkopen voor de Stjärnhall. Een keer waren we verantwoordelijk voor een controlepost bij een puz-zelwandeltocht in een bos buiten de stad. Iemand met een donkerblauwe Volvo reed ons erheen en liet ons er vervol-gens urenlang achter. Het was waanzinnig saai. Er kwam helemaal niemand, niet voor de puzzeltocht en niet om ons af te lossen. Papa ging met zijn vingers over het dashboard, voelde even aan de starre versnellingspook en draaide het raampje open en dicht.

'Autorijden is niet moeilijk, dat kan iedere boerenlul.'

Hij draaide het sleuteltje om, dat nog in het contact zat en trapte een pedaal in. De auto begon langzaam achteruit te lopen naar het open veld. We konden hem niet stoppen. Heel langzaam rolde hij de greppel in terwijl ik hysterisch naast hem zat te gillen.

'Stil!' siste hij verbeten. 'Hou in godsnaam je kop, straks komt er nog iemand!'

Voordat iemand het in de gaten zou krijgen, tilde hij de auto op en manoeuvreerde hem terug in zijn oorspronke-lijke positie. Ik rende erachteraan om zo goed en zo kwaad als het ging de wielsporen uit te wissen. Hij zei dat ik tegen niemand mocht vertellen wat er was gebeurd.

Ik had niet de gewoonte om alles door te kletsen, de ver-halen over Funkisgatan tijdens de Tweede Wereldoorlog hadden me geleerd wat het woord 'verklikker' betekende, en ik hield vooral woord tegenover papa. Dit keer was dat moei-lijk. Ik had hem zojuist een hele Volvo zien optillen en dat, zei hij, was ons geheimpje.

Papa droeg ook voetbalclub Hammarby uit Stockholm een warm hart toe. Dat kwam door zijn romantische voorstel-lingen van de wijk Södermalm, maar met het echte Söder had hij weinig ervaring. Hij was een paar keer bij mama op bezoek geweest toen ze als jonge vrouw in Gotlandsgatan woonde, dat was alles. Hij droomde ervan te flaneren, een biertje te pakken, slang te praten met die gasten op Söder en de Hammarbyers te zien dribbelen met de bal. Zo is het leven op Söder, zei hij. Het was de hele tijd 'hé hallo, hoi', net als in de tv-serie *Söderkåkar* en de film *Vårat gäng*. Eenvoudige, fatsoenlijke mensen. Een buurt met spirit. Sappelaarsradicalisme. Het leek hem zelfs wel wat om daar te wonen.

Op een zaterdag voeren we met een rondvaartboot naar Stockholm en ik was bang dat er iets mis zou gaan – we maakten anders nooit uitstapjes. Nadat de boot had aangelegd aan Stadshuskajen, namen we een taxi naar Slussen. Daar namen we de boot naar Djurgården, waar restaurant Hasselbacken lag, waarover papa had gelezen. We aten isterbandworst met aardappels in witte saus, en papa kon maar niet begrijpen dat hij een vermogen moest betalen voor eten dat bij oma in de keuken gratis was.

Het volgende moment liepen we op de cakewalk in Gröna Lund. Papa was allesbehalve een pretparkpapa. Hij was grappig, maar hield niet van pret maken, behalve dan over de aardappelknoedels in de Stjärnhall. We hadden nooit samen zandtaartjes gebakken, gezwommen, midgetgolf gespeeld, of andere dingen gedaan die ouders met hun kinderen plegen te doen. Onze manier van met elkaar omgaan bestond uit praten. Wel zijn we een paar keer naar Folkets Park geweest. Eén zomer hebben we Lasse Berghagen daar horen zingen over Teddybeer Fredriksson. Een andere zomer zagen we een show van Lill-Babs met als thema dat ze de meest sexy veertigjarige van Zweden was, wat papa deed hikken van de lach. We zijn ook een keer naar het jongerencentrum geweest om onze plaatselijke revuester Asta Holm te zien.

Nu stond hij in de hellende ruimte van de cakewalk en de zwaartekracht trok hem onbarmhartig omlaag. Zijn handen omklemden het blauwe hekwerk, met zijn hele lichaam zette hij zich schrap. Zijn mond hing half open, op zijn voorhoofd parelden zweetdruppels zo groot als jutteperen. Hij zei dat hij zich niet goed voelde. Kotsmisselijk was hij.

Honderden vrolijke kinderen en argwanende ouders passeerden ons.

Ten slotte vermande hij zich en rende weg van de plek. Toen we van het vliegende tapijt geklommen waren, kotste hij in een papierbak.

We namen een taxi naar Stadshuskajen en moesten heel lang wachten voordat we aan boord konden gaan. Hij zat er stilletjes bij, met gesloten ogen. Kapitein Leif Efraïm Langkous had ons meegenomen naar de droomstad en nu liep het zo af. Hij vroeg of ik me wel amuseerde in zijn gezelschap. Of ik hem een goede vader vond.

'Laat je spierballen rollen!' zei ik om hem op te vrolijken.

'Jezus, nee, vandaag niet.'

Papa stopte met voetballen toen hij eenentwintig was. Zijn werk was te veeleisend om op hetzelfde hoge niveau te kunnen blijven spelen; na een werkdag was hij doodmoe. Het kan een smoesje zijn omdat andere dingen belangrijker werden. Ik werd verdrietig als ik bedacht dat hij misschien niet de kans had gekregen zijn talenten te ontwikkelen.

Op een avond namen we zijn oude bandyschaatsen mee naar huis. Opa zei dat papa vroeger de beste schaatser van heel Skiljebo was. En zo is het maar net, zei oma.

Papa zei dat we naar de ijsbaan bij de Viksängsschool zouden gaan, onder aan de heuvel waarop onze flat lag. Daar schaatsten Anna-Karin en ik altijd op witte kunstschaatsen tot onze voeten pijn deden van de kou. Ik stelde me voor hoe papa met zes halve liters bier in zijn benen op het ijs zou rondkrabbelen, tot vermaak van de grote jongens. Stel je voor dat hij tegen de omheining ging staan pissen, zoals hij deed tegen de schutting in de jachthaven? Ik verzon allerlei uitvluchten om thuis te blijven. Maar hij hield voet bij stuk.

Al op de steile helling naar de ijsbaan gleed hij uit en wilde ik terug naar huis. Dan ga je maar alleen, antwoordde hij. Ik hoopte dat de afgetrapte bruine schaatsschoenen te klein zouden zijn, maar zijn voeten gleden er zonder probleem in. Ervaren reeg hij de veter in en eindigde met een stevige knoop.

Toen hij het ijs op stapte, dreigde hij te vallen en zonder handschoenen zocht hij steun bij een sneeuwwal. Toen begon hij te schaatsen, met zijn haar en de dunne gabardine broek wapperend in de wind. Vlug en bedreven, maar toch langzaam genoeg om hem te kunnen bewonderen. Zijn zware lichaam licht en meegaand.

'Kom op dan! Moet je niet schaatsen?'

Hij remde vlak voor me zodat hij ijs wegspoot en er een mooi spoor ontstond, precies zoals ik zelf zo graag zou kunnen.

Hij zette vaart naar het deel van de baan waar de grote jongens bandy speelden. Met rechte rug en zijn handen in zijn zakken schaatste hij heen en weer in het schijnsel van de straatlantaarns en volgde hun spel. Hij wilde meedoen. En in een duizelingwekkend moment besefte ik dat ook hij ooit een jongen was geweest met vrienden. Een knul in het centrum van de belangstelling.

Onderweg naar huis vertelde hij van toen hij twaalf was en tijdens een bandywedstrijd de beslissende strafbal had gered voor de ogen van een juichend publiek. Toen hij door de donkere Skiljebowinter naar huis liep, had hij gehuild van trots en van de pijn in zijn hand, waar de keiharde bandybal zich had vastgekleefd. Hij zei dat hij blij was dat hij toen niet had beseft dat hij zojuist een van de gelukkigste momenten uit zijn leven had meegemaakt, want als hij dat had begrepen, had hij ook dat niet gehad. Het duurde vele jaren voordat ik begreep wat hij bedoelde.

Na die avond hingen de bandyschaatsen aan een spijker in de kast, als herinnering aan het feit dat papa dingen kon waarvan andere mensen geen idee hadden. Zelfs ik niet.

IN DE LENTE zetten de aanhangers van de pinkstergemeente een tent op het veld naast onze flat op en een paar avonden lang was alles anders. Nieuwsgierige toeschouwers, vooral kinderen, vulden de tent. Het was spannend om naar religieuze mensen te kijken. Ze zongen, sprongen en predikten met enorm veel energie. Ik deed mijn uiterste best om me niet te laten meeslepen door de aanstekelijke wijsjes.

Op een keer liep er een blond meisje te collecteren, toen er ineens iemand hard naar haar floot. Iedereen draaide zich om om te kijken wie zich zo ongepast gedroeg.

Het was papa.

Hij stond met zijn overhemdsmouwen netjes opgerold helemaal achteraan tussen een grote groep andere mannen en maakte zich te schande.

Eenmaal thuis vroeg ik waarom hij dat had gedaan. Hij grijnsde en nam een slok bier.

'Hoezo? Ik wilde gewoon een beetje aardig zijn! Ze zal het niet gemakkelijk hebben, dat begrijp je toch wel, als je zo christelijk bent en alleen van die vrome pinkstervrienden hebt om mee om te gaan.'

Ze was blij geweest. Enorm blij. Dat stond buiten kijf.

Ik geloofde niet dat hij echt zo dacht, hij was gewoon blij dat hij eens een keer onder de mensen was. Toen hij dat leuke meisje zag had hij zonder na te denken gefloten, zoals hij duizenden keren had gedaan toen hij jong was. In de tijd dat hij uitging in Rotundan en iedereen kon krijgen met een scheve glimlach en een halve fles. Langgeleden.

Hij wilde iedereen in de tent, incluis zichzelf, wijsmaken dat hij een charmeur was die zich niets gelegen liet liggen aan sociale conventies. Jarenlang dacht ik aan dat fluiten als het enige wat papa ooit had gedaan dat leek op een soort openlijk verzet, ook al was het niet zo bedoeld. Hij wilde gewoon de man laten zien die hij ondanks alles was.

Het was moeilijk voor papa om een andere vrouw te ont-moeten. Hij kon niet iemand oppikken in Baldakinen of Klippan, want hij kon niet dansen en ging daar dus niet heen. Hij zei dat degene die met hem danste het risico liep doodgetrapt te worden – zelfs een radioballet was nog te hoog gegrepen voor hem. Bovendien had hij mij om het an-dere weekend. En iemand op zijn werk tegenkomen was ook min of meer onmogelijk, er werkten maar weinig meisjes bij Metallverken.

De pornoblaadjes verstopte hij om ons allebei niet in ver-legenheid te brengen. Ik vond ze toch, en toen ik wat ouder was bestudeerde ik ze uitgebreid. De foto's van Amerikaan-se auto's en een reportage over de Zweedse vn-soldaten in Congo bladerde ik vlug door, maar de foto's van vrouwen met hun enorme borsten en gewillige blikken interesseer-den me zeer, evenals de zogenaamde lezersbrieven over on-geremde seks in politieauto's en tandartsstoelen. Ik werd al vroeg ingewijd in de verlangens en driften van de volwas-senen. Geschokt, gefascineerd.

Op een avond kwam er een jong meisje langs dat papa in een restaurant had ontmoet. Haar moeder woonde bij ons in de buurt en nu kwam ze even gedag zeggen. Een schoon-heid met lang, donker haar, jeans en een gewatteerd jack. Ze zat op de bank, haar zilveren armbanden rinkelden mooi als ze de as van haar sigaret tikte. Ze vroeg naar school en of ik een vriendinnetje had. Ineens springt papa overeind uit zijn stoel en gaat schrijlings op haar zitten. Hij stoot een keer met zijn onderlijf, hard en snel. Ze kijkt naar mij en lacht. Dan gaat hij weer in zijn leunstoel zitten. Ik begreep niet precies waarom hij dat deed, het was heel vreemd, maar ook moedig op een bepaalde manier. Zelfverzekerd.

Ze kwam nooit meer terug en papa zei dat hij niet anders

verwacht had. Ik heb lang plezier gehad van de wetenschap dat hij zo'n mooi meisje kende. Het heeft jaren geduurd voordat haar naam was uitgewist.

Korte tijd had papa iets met Rigmor. Ze woonde in Bjurhovda, een hoogbouwwijk met voor de helft galerijflats. Gangsterbuurt, zei papa.

Ik weet nog dat Rigmor dik was, maar haar gezicht kan ik me niet herinneren. Toen ze een keer bij ons was, was papa vergeten wc-papier te kopen. Hij was de hele avond nerveus omdat ze misschien zou moeten plassen, of nog erger. Ze had kaneelbroodjes bij zich waar ze stukjes appel in had gedaan. Ze waren niet te eten.

Ik ben niet vaak bij haar thuis geweest, maar we hebben daar in 1975 het songfestival gezien. Een hele rits kinderen verdrong zich in de woonkamer, waar alles wit was. De vriendin van Rigmor was er ook. Die was er altijd, zei papa. Het heeft iets decadents, om niet te zeggen tragisch, volwassen vrouwen die voortdurend met elkaar moeten omgaan. Een teken van zwakheid, een bewijs dat ze het alleen niet redden. Zelf wist hij zich uitstekend te redden.

Ik viel in slaap kort nadat Lasse Berghagen 'Jennie, Jennie' had gezongen. Het was voor het eerst dat papa naar het songfestival keek zonder zich eerst vrolijk en vervolgens kwaad te maken over alles, en ik bedacht wat een inspanning dat voor hem geweest moest zijn. Bovendien moest hij koffie drinken en schuimgebak en spritskransjes eten. Bier op kamertemperatuur hadden ze niet.

Rigmor had drie kinderen. Papa probeerde contact met ze te leggen, vooral voor mij, maar ze waren niet geïnteresseerd – ze werden in beslag genomen door hun eigen dingen en vriendjes – maar hij zei dat het kwam doordat ze kierewiet waren. Hij testte hun begaafdheid op verschillende manieren, onder andere met simpele kaartspelletjes. Na afloop schudde hij met een veelbetekenend gezicht discreet zijn hoofd. Hij had wat meer verwachtingen van de tienerzoon en kocht een duur schaakboek. Toen hij slechts een lauw bedankje kreeg, was hij ervan overtuigd dat de jongen sneller als verslaafde in een instelling zou terechtkomen dan dat Gösta Bohman 'machtswisseling' kon zeggen.

De laatste keer dat Rigmor en papa elkaar ontmoetten, zaten ze serieus te praten in haar keuken. Ze was alleen thuis en ik zorgde dat ik uit de buurt bleef.

'Maar je zei toch dat je om me gaf. Was dat dan iets dat je zomaar zei?' hoorde ik papa vragen.

Op een gegeven moment was het tijd om naar huis te gaan.

'Tot ziens', zei papa.

'Tot ziens', zei zij.

IK WAS NEGEN toen Sonja bij ons langs begon te komen. Of misschien heette ze Anita. Ik kwam er maar niet achter wat haar echte naam was en papa wist het ook niet precies. Eerst noemde ze zichzelf Anita, daarna veranderde ze in Sonja. Ik ben nooit opgehouden Anita te zeggen, maar papa zei Sonja. Opa was kwaad dat hij geen duidelijkheid kreeg over hoe die nieuwe griet van Leffe heette, maar oma begreep het probleem niet: hoofdzaak was dat Leif eindelijk iemand had gevonden.

Sonja woonde in de flat onder ons en hij was haar waarschijnlijk in de kroeg tegengekomen toen ik een weekend bij mama was. Sven, een jongen uit de buurt, zei dat hij ze een keer 's avonds laat uit een taxi had zien stappen en dat het leek alsof zij in haar broek had gepiest. Papa had haar naar binnen geholpen.

Ze was een paar jaar ouder en knap om te zien. Echt een stuk, zei papa. Ergens begin jaren zestig was ze Miss Västmanland geweest en twee keer de Lucia van Västerås. Ze liet ons fotomodelfoto's zien waarop ze met blonde engelachtige krullen lachend tegen een berk leunt. Nu was ze kapster bij Domus en droeg een lange jas en hooggehakte schoenen. Strakke spijkerbroek en een bloes of marineblauw truitje, make-up en gouden sieraden die ze in de loop der jaren van diverse mannen had gekregen. Als ze verdrietig was trok ze haar shirtje omhoog en liet de plek zien waar ooit een borst had gezeten. De kankeroperatie had verharde littekens achtergelaten die herinnerden aan een zojuist aangeaarde aardappelakker. Ze hadden ook dingen uit haar armen weggesneden, zei ze. De littekens waren lang.

Ze dronk niet, maar slikte af en toe tabletten tegen de angst waardoor ze praatziek, zeurderig en traag in haar bewegingen werd. Ze wilde discodansen.

'Leif, zet eens muziek op! Ik wil discodansen!'

'Wat klets je voor onzin? Kalmeer een beetje, Sonja!'

'Åsa, zet discomuziek op!'

'Die heb ik niet, Anita, dus dat gaat niet.'

Mijn platen van ABBA en Baccara verstopte ik onder mijn bed.

Sonja werkte tot zes uur en was op z'n vroegst half zeven thuis. Papa stond voor het raam te gluren en ik kreeg opdracht naar beneden te rennen om van buitenaf te kijken of er licht bij haar brandde – misschien was ze thuisgekomen zonder dat hij het had gemerkt. Als ze eenmaal haar voordeur achter zich had dichtgetrokken, liep hij te ijsberen in afwachting van het moment dat ze naar boven zou komen. Hij keek rusteloos *Aftonbladet* door, nam een biertje, plaste, trok een fles wijn open, bladerde nog een keer de krant door, plaste, luisterde wat ze beneden aan het doen was.

Ze kwam iedere avond naar boven om te zeggen dat ze zo weer zou gaan.

'Nee, Leif, vanavond blijf ik niet. Ik ga zo naar beneden.'

'Ga even zitten, kijk hier naar het journaal!'

'Nee, Leif, ik ga zo naar beneden. Ik kan hier beter niet zijn. Er gaat het een en ander veranderen, dat weet je.'

Regelmatig at ze warm bij ons. Restjes die we van oma hadden meegekregen in witte plastic doosjes met rode sluitclips of in uitgewassen Flora-doosjes met een elastiekje erom, doosjes die papa tot opa's ergernis altijd vergat terug te geven. Maar het eten, dat goed smaakte in hun keuken, was thuis niet lekker meer, het stonk en zag er smerig uit, maar Sonja at met smaak. Na het eten belde ze lang met haar moeder. Papa had daar geen bezwaar tegen, maar het frustreerde hem dat de avond zo vlug voorbijging. Daarna zat ze op de bank tot het tijd was om naar bed te gaan en zei dat ze zo zou gaan, dat er het een en ander ging veranderen, dat ze naar een ander deel van de stad zou verhuizen.

'Dat weet je, Leif.'

Hij zat zwijgend te drinken.

Vaak bleef ze 's nachts. Ik begon in mijn eigen bed te slapen.

Papa kocht voor de slaapkamerdeur een gordijn van zuurtjesgroen gevlochten riet. Het ruiste en ritselde van begeerte en bijbedoelingen, en maakte me verlegen. De strengen maakten een dof geluid als je erdoorheen liep en ze raakten makkelijk los of braken halverwege af. Na een poosje was ik het zat ze steeds aan te naaien en het gordijn werd alsmaar dunner totdat papa het voorgoed weghaalde. Het heeft nooit aan zijn verwachtingen voldaan, net zomin als het nieuwe bed met ingebouwde wekkerradio.

Sonja wilde niet intiem zijn met papa. Ze had behoefte aan zijn gezelschap, meer niet. Maar ze was wel geïnteresseerd in seks. Dat kon je afleiden uit alle nummers van *Lektyr* en *Fib Aktuellt* in haar flat, die met zijn bordeauxrode en roze kleuren, vaste vloerbedekking en zijden kussentjes overal een beetje deed denken aan de kamer van een saloonmeisje in een wildwestfilm. Thuis konden de seksblaadjes me niet schelen, maar hier deden ze me walgen. Wat moest zij, een vrouw, met die tijdschriften?

In papa's mooie ladenkast vond ik een pakje Black Jack. Het lag onder een krantenknipsel over het bezoek van Olof Palme aan Cuba. Echte neukcondooms, zwart als de zonde, lagen daar te branden in dat sierlijke kastje. 's Avonds opende hij de la en voelde even aan het pakje. Verlangend dat hij ze ooit zou kunnen gebruiken.

Toen ik op een zondagmorgen opstond om te gaan plassen, lagen ze op de bank te slapen. Zij naakt, op een shirtje na om haar borst die er niet was te verhullen. Papa ernaast, met een slap lid dat op zijn dij rustte.

Het was vermoeiend als Sonja zichzelf met pillen verdoofde en ruziemaakte met papa, maar ik mocht haar graag. Ze was aardig tegen me en ze leerde papa hamburgers eten. Bij het BP-benzinestation, dat nu anders heet, verkochten ze hamburgers voor een paar kronen. Sonja zeurde tegen papa dat hij er een paar moest gaan halen, maar hij weigerde omdat een hamburger gangstervoer was. Na maandenlang aanhouden gaf hij toe en kwam thuis met een vettige papieren zak. Onwillig proefde hij en moest toegeven dat het te eten was. Dat het echt lekker was. Die yankees konden toch wel iets meer dan alleen rotzooi trappen.

Als Sonja er was konden we niet over politiek praten, want papa was zoals gewoonlijk bang dat ze erachter zou komen wat hij stemde. Sonja zei dat ze Olof Palme en Josef Stalin haatte – zulke mensen moest je een bom in hun maag stoppen. Als kapster bij Domus verdiende ze niet veel meer dan de helft van waar papa mee thuiskwam en ze had linkse kritiek op de regering. Toch stemde ze rechts. Al gauw werd het papa duidelijk dat Sonja zo'n volstrekt onbegrijpelijk onoordeelkundig type was dat hem die vervloekte klotedriepartijencoalitie wilde aanpraten – van twee kanten nog wel. En nu zat ze op zijn bank te beweren dat het zielig was voor Fälldin en dat het aan de socialisten en zelfs de communisten lag dat alles slechter werd en dat ze zo weinig verdiende. Hoe is het in godsnaam mogelijk? vroeg hij aan mij als we samen waren. Hoe kon ze?

Hij deed alsof hij niet in politiek geïnteresseerd was, en dwong mij hetzelfde te doen. Als Sonja er niet was, hervatten we onze gesprekken. We zaten dicht bij elkaar en fluisterden bijna, bang dat ons gepraat over de klassenloze maatschappij tot haar zou doordringen.

Onze gesprekken werden steeds sporadischer.

Sonja leefde voor haar jaarlijkse charterreisje naar de Middellandse Zee. Voor papa was het de slechtste tijd van het jaar als ze weg was: een week van constante angst over wie ze daar zou tegenkomen. Maar van meegaan kon geen sprake zijn. Zij wilde dat niet en het zou niet in hem opkomen om geld te sparen voor een strandvakantie. Hij kon zich niets imbecielers voorstellen dan boven op elkaar op het strand te zitten met een massa bleke, pafferige Duitse wijven die Heil Hitler tegen hun koters schreeuwden.

'Je begrijpt zelf wel hoe vreselijk dat is!'

Sonja ging af en toe met Katrin om, een hasjrookster met een pareltje in haar neus die samen met een voormalige bajesklant een paar verdiepingen boven ons woonde. Papa kon maar niet begrijpen dat Sonja zich met dat criminele gespuis inliet.

'Ik heb ook andere vrienden, Leif, je weet niets van mijn vrienden', antwoordde ze gekwetst.

Sonja en Katrin kregen vaak ruzie, een keer ging het over de wasruimte. Sonja rende naar boven om papa erbij te halen. Zwijgend en een beetje nieuwsgierig keken we naar de grote wasmachines. Wij waren nooit eerder in de wasruimte geweest. Uiteindelijk richtte Katrin zich tot papa en vroeg of hij wist dat Sonja alleen maar 's avonds bij ons kwam voor het gratis eten van zijn moeder zodat ze voor haar reizen naar Spanje kon sparen. Hè, heeft ze dat nooit gezegd? Dat vertelt ze toch aan iedereen die het maar horen wil!

'Dat geloof je toch niet, Leif?' vroeg Sonja ongerust toen we weer boven waren. 'Ze is een junkie, die verzinnen van alles!'

Papa keek haar zwijgend aan.

'Je moet niet geloven wat ze zegt, Leif, je moet haar echt niet geloven!'

Sonja kwam niet meer bij ons eten; ze bleef soms lange tijd weg, om op een dag weer voor de deur te staan alsof er niets was gebeurd.

'Nee, Leif, vanavond blijf ik niet. Ik ga zo naar beneden.'

'Ga zitten, het journaal begint zo!'

'Nee, Leif, je weet dat ik zo naar beneden ga. Dat ik hier beter niet kan zijn. Dat er dingen gaan veranderen.'

Een van die zomers kwam Sonja terug van Mallorca en zei dat ze een ander had ontmoet. Nu werd papa nogmaals door een vrouw afgewezen.

'Heb je gehoord dat Sonja zich heeft verloofd?' vroeg hij.

'Hè, met wie dan?'

'Met mij.'

'Ah! Gefeliciteerd!'

Ik probeerde niet te laten merken hoe kinderachtig het klonk.

'Nee, niet met mij! Met een Spaanse miljonair die hiernaartoe komt. Het moet een fantastische vent wezen.'

Papa was altijd grootmoedig.

We zagen ze aan komen lopen met een zak hamburgers van de benzinepomp. Zij op hoge hakken, de miljonair in een kort leren jack. Ik vond hem eruitzien als een bejaarde Tom Jones. Papa was het niet met me eens.

'Hij ziet er eerder uit als een pooier.'

Ze zijn een jaar of zo samen geweest.

PAPA VERAFSCHUWDE DE winter. De duisternis en kou bedrukten hem. Hij bibberde als een juffershondje. Het was moeilijker om ons een weg door de straten te banen 's ochtends, soms vielen we met fiets en al om. Sneeuw en ijs verwijderde hij zo goed en zo kwaad als het ging met zijn blote handen van het fietszadel, vervolgens ging hij zitten en liet met een jammerklacht de rest onder zich smelten.

'O godallemachtig, wat is het koud!'

Ik keek naar de ramen waarin de adventkandelaars werden aangestoken. Het zag er zo knus uit in alle huizen waar de kerststerren van metaal of oranje karton hun schijnsel tussen de flatgebouwen verspreidden.

Voor papa was het belangrijk de eerste met de adventster te zijn, zodat de mensen omhoog zouden kijken en uitroepen van 'kijk me die flinke huisvrouw er eens mooi op tijd bij zijn!' In de adventkandelaar bevochtigde hij jaar na jaar hetzelfde mos en hij zette de steeds geler wordende kaarsen erin, die we nooit brandden. De rode verf van de besjes en vliegenzwammen kleefde van ouderdom. Ik mocht niet meehelpen, alles moest perfect worden gerangschikt.

Kerstversiering die ik had gemaakt hing hij nooit op: piepschuimbolletjes en wc-rollen met gelijmd vilt en pijpenragers konden hem niet bekoren. Wat ik op de crèche of naschoolse opvang had gemaakt, gooide hij weg of hij legde het in de kast. Mama deed het tegenovergestelde. De ketting van indianenkralen droeg ze, als hij maar niet was gemaakt van gele en blauwe kralen – ze had een hekel aan alles wat als vaderlandsliefde geïnterpreteerd kon worden. Haar kamer op het arbeidsbureau was versierd met tekeningen en korrelige bakjes van klei, beschilderd met waterverf.

Opa kocht een kerstboom voor ons en kersttijdschriften,

maar één keer verraste papa me met een bouwpakket in de vorm van een peperkoekhuisje. We waren allebei vol verwachting toen hij de suiker in een steelpannetje smolt. Ineens schreeuwde hij dat ik uit de buurt moest blijven. De man die gewend was te werken met een temperatuur van duizend graden, was ineens bang zich te branden aan een beetje suiker. Hij reageerde op dezelfde manier toen hij zich had laten overhalen de frituurpan uit te proberen die in de kast stond en ons herinnerde aan een vorig leven. En ik wilde zo graag geloven dat hij door het vuur kon gaan.

Eenmaal vroeg papa vrij om te kunnen deelnemen aan de Luciaviering op de crèche. De avond ervoor haalde hij de strijkplank tevoorschijn waar een grote brandplek op zat van het strijkijzer dat mama een keer was vergeten, en hij streek het witte jurkje dat we tot onze grote opluchting bij de ICA-supermarkt in het winkelcentrum van Viksäng op de kop hadden getikt. 's Ochtends trok hij zijn blazer aan en kamde zijn haar nat en extra zorgvuldig met zijn metalen kam.

Na afloop kwam hij naar me toe en zei dat de Luciaoptocht absoluut wereldklasse was.

Hij leek geen idee te hebben hoelang zoiets duurde en ver nadat alle ouders waren vertrokken, zat hij er nog. Ik fluisterde tegen hem dat hij moest gaan en hij fluisterde terug dat hij vrij had genomen en niet van plan was Mentaaltergen ook maar een minuut cadeau te doen. Hij liep rond en keek in de speelruimte, de leeshoek, de knutselruimte en de poppenhoek, waar hij nooit eerder was geweest. Hij praatte met de juffen, maar wist niet wat voor soort vragen hij moest stellen. Hij noemde me Natasja. Dat was voor iedereen verwarrend.

'Denkt je vader dat je Tarzan heet, of zo?'

Zolang hij er was, kon ik niet met de anderen meedoen, die uitgelaten rondrenden met hun puntmutsen en uitdossing. Tot slot stonden we zwijgend in een hoek.

's Avonds prees hij nog een keer de voorstelling, maar zei dat hij het zielig vond voor de ouders van de andere kinderen, vooral van die gangster in dat peperkoekpak.

'Die vlerk is zeker een beetje mesjogge? Nou ja, helemaal goed bij is-ie zeker niet, dat zie je zo.'

Voor hem waren alle andere kinderen lelijk, zeurderig, dik en onintelligent. Als hij met kinderen praatte, was hij zacht en aandachtig, maar na afloop zei hij altijd dat het een vreselijk rotkind was en dat het domme gezwets hem bijna te veel was geworden.

'Arme ouders, het zal je kind maar wezen!'

Hij kon niet vaak genoeg vertellen hoe hij het had getroffen met zo'n lieve en knappe dochter als ik.

Op Kerstavond kwamen we in Björkgatan bij elkaar. De broers en zussen zagen elkaar alleen als opa of oma een kroonjaar vierde, maar met Kerst krioelde het soms van de mensen die hun best deden een gevoel van saamhorigheid te creëren rond het idee dat ze ontsproten waren aan dezelfde schoot. Er zat vierentwintig jaar tussen papa en zijn oudste broer – vier generaties, kinderen, kleinkinderen en achterkleinkinderen, ontmoetten elkaar in het huis.

Ze praatten luid en bijna iedereen leek vrolijk en blij elkaar na lange tijd weer te zien, al werd er in de keuken en op de keldertrap veel geroddeld. Majken, Rolf en papa zochten elkaar op. Jarl, Roland en Olle trokken naar elkaar toe. Görel hoorde nergens bij.

In opa's kamer, waar de tv stond, trof je Bernhard aan, alleen. Hij was getrouwd met tante Görel. Als een porseleinen pop zat hij daar, tenger en vriendelijk, in een beige vest met ritssluiting. Zijn stem was zacht en voorzichtig toen hij mijn witte sandalen bewonderde, alsof hij niet wilde storen. Hij wilde eigenlijk niet hier zijn. Hij wilde nergens zijn, begrepen we na een paar jaar. Het was prettig om een poosje naast hem te zitten.

Niets ontbrak op de kerstdis. Er was zelfs een borreltje, dat opa zogenaamd niet zag. Oma ging pannekoeken bakken toen ik duidelijk had gemaakt dat ik eigenlijk helemaal niet van kersteten hield.

Er was een speciale tafel gedekt voor mij en de drie neefjes die van mijn leeftijd waren. Ik huilde dat ik daar niet wilde zitten omdat ik toch geen kind was. Ik hou niet van kinderen, zei ik tegen papa, dat weet je toch? Ik was veel liever in gezelschap van volwassenen, op de crèche zat ik liever bij de juffen dan dat ik speelde. Papa fluisterde dat ik echt niet bij die rotjongens hoefde te zitten.

'Kom bij mij zitten, maatje!'

Dat wilde ik ook niet, ik wilde bij Rosita zijn. Zij straalde van huwelijksrijpe jeugdigheid en vertelde trieste en een beetje overdreven verhalen over de patiënten in de longkliniek. Ik was haar vertrouweling, ze wijdde me in in geheimen over haar bewonderaars die ik absoluut niet aan Majken en Alexej mocht vertellen.

Het was spannend om de volwassenen te horen praten. Over Metallverken, de Baader-Meinhofgroep, de crimineel Clark Olofsson en wat hen al niet bezighield. Ik wilde de schimpscheuten onderling horen, verbeeldde me dat ik alle nuances kon duiden.

Na het eten renden de kinderen rond in het huis dat ze niet kenden. Ze hielden halt om iets te bekijken wat voor mij de gewoonste zaak van de wereld was, met mollige kindervingers raakten ze de dingen aan. Speelden met oma's grote prinsessepop in de blauwzijden jurk, die, in plaats van sierkussens, midden op het bed zat. Ze trokken aan haar haar zodat het losliet. Daaronder werd een kaal plastic hoofd zichtbaar met bruine, opgedroogde lijm. Ik stond in de deuropening en zei dat ze daar niet aan mochten zitten.

'Fijne Kerst, lieve Åsa' stond er op de enveloppen. Ik kreeg veel meer dan de andere kinderen, het was alsof papa's broers en zussen mij op de een of andere manier wilden compenseren. Opa's zuster Elinor in Florida stuurde verf op, alleen voor mij.

Van papa kreeg ik niets. Hij koos ervoor eerst kerstcadeautjes voor die rotkinderen te kopen. Het was zo pijnlijk, zei hij, als ze van iedereen een pakje kregen behalve van hem, en daar was ik het mee eens. Ik zou mijn cadeautjes na Oud en Nieuw krijgen. Het kwam er nooit van. Ik raakte eraan gewend, kreeg ook nooit verjaardagscadeautjes van hem. Hij was royaal als het kon. Iedere dag in de Stjärnhall, 's zaterdags in de stad, het hele jaar door. Van mij kreeg hij de jaarbundel met columns van Torsten Ehrenmark of een kistje Ritmeester Livarde. Mama betaalde. Hij was er blij mee.

De volwassenen kochten geen cadeautjes voor elkaar, maar oma en opa kregen pakjes, een prestigestrijd tussen de broers en zusters die papa altijd verloor omdat hij nooit iets meebracht.

'Ach, nou heb ik het kerstcadeau thuis laten liggen! Ik kom tussen Kerst en Oud en Nieuw wel even langs om het te brengen.'

'Ik hoef niets, hou je geld maar in je zak', zei oma en ze droogde haar handen af aan haar schort.

Eén keer wilde papa alles op alles zetten om zijn broers en zusters te overtroeven. Wekenlang zat hij te peinzen over iets wat betaalbaar was en toch zo groot dat niemand het over het hoofd kon zien. Hij was door het dolle heen toen hij had bedacht dat hij zo'n staande kapstok van donker hout zou kopen die net in de mode waren. Hij fantaseerde over zijn grootse entree: Oei, wat heb jij een enorm pak bij je, Leffe! zouden ze zeggen. O, gewoon iets voor pa en ma, niets bijzonders.

Op die manier dacht hij al het eten, al het geld en alle goede zorgen te kunnen compenseren.

We trokken inderdaad de nodige aandacht, maar de kapstok was niet het overheersende gespreksonderwerp van de avond. Opa had zo'n medelijden met papa dat hij mij zijn koekoeksklok gaf.

Soms eindigde Kerstavond in een handgemeen. Papa's oudste broer Jarl was rijk getrouwd met een vrouw wier vader een parvenu in de bouwbranche was. Bovendien was Jarl opgeklommen tot hoofd voorlichting bij Metallverken. De schare broers en zusters raakte verdeeld. Sommigen vonden dat Jarl over hen baasde, anderen gingen met hem om. Voor oma en opa leek hij een vreemde geworden. Ze woonden een paar blokken bij elkaar vandaan en zagen elkaar nooit.

Oma dacht dat hij zich te goed voelde. Zijn vrouw werd achter haar rug om bekritiseerd vanwege haar dure bontjassen en kletspraatjes, om nog maar te zwijgen over hoe vrolijk ze zich maakten over haar poedel, waar oma doodsbang voor was. In het geheim mocht ik haar graag, en papa ook. Ze was betrouwbaarder dan veel mensen wilden toegeven.

Tussen opa en Jarl stond ook Jarls promotie bij Metallverken, iets waar opa trots op was maar ook wantrouwend tegenover stond. Jarl had een positie waardoor hij niet langer tot de kant van de arbeiders gerekend kon worden. Hij was niet geïnteresseerd in opa's adviezen over wat het beste was voor Metallverken en de mensen die er werkten. Opa wist niet meer wat hij aan zijn oudste zoon had.

De vechtpartijen begonnen meestal ermee dat Rolf genoeg kreeg van Jarls bazigheid, die vaak gericht was tegen Rolfs volwassen zoon. Ineens hoorde je een dreun, gerinkel van vaatwerk dat tegen de grond ging en de klappen van mannen die vochten. Het geschraap van meubels die opzijschoven als ze op de grond belandden. Doffe vuistslagen tegen een rug, een arm, een buik. Nerveuze uitroepen van de vrouwen. Mannen die brulden dat ze nu verdomme moesten ophouden! Kalmeer een beetje! Het geluid van kinderen die op het punt stonden te gaan huilen.

Papa, de jongste en de sterkste, kwam tussenbeide. Heel even was de sloddervos de onbetwiste autoriteit.

Na afloop gingen ze naar hem toe en sloegen hem op de schouder.

'Dat heb je verdomd goed gedaan, Leffe!'

'Leffe, wat een godsgeluk dat je zo sterk bent!'

Opa, op z'n zondags in een wit overhemd, hief zijn arm van de overkant van de kamer in een respectvol dankjewel.

Papa liep naar de keuken om een pilsje te pakken en het gevoel op te zuigen dat hij voor één keer had gezegevierd. Oma stond in de bijkeuken te huilen dat de kinderen van wie ze hield niet vanzelfsprekend van elkaar hielden.

'Kop op, ma', zei papa. 'Alle goeie feesten eindigen met een knokpartij. Herinner je je vorig jaar nog?'

Vluchtig streek hij over oma's arm. Dat was de enige keer dat ik hem haar heb zien aanraken.

Nadat oma en opa hun huis aan Rosita hadden verkocht, vierden we Kerst bij Majken en Alexej. We waren met minder mensen nu en het was makkelijker de vrede te bewaren. Rolf kwam met een grote doos chocola, wij met een tas vuile was.

Alexej serveerde een borrel volgens het op-één-been-kun-je-niet-staanprincipe, maar papa sloeg ook een derde en vierde achterover. Alexej vulde bij, vergezeld van spottende opmerkingen die papa niet leek te begrijpen. Hij zocht steun tegen de muur toen hij naar de wc ging, struikelde in de kelder, slingerde tegen de trapleuning. Lalde dat hij blij was met de columns van Ehrenmark, vroeg hoeveel lall er in mijn enveloppen zat, vond dat sommige mensen wel erg gierig waren en zei dat ik mijn kerstcadeautjes na Oud en Nieuw zou krijgen.

Daarna ging ik naar Funkisgatan, waar mama, Lasse, Kajsa, oma Vera en opa Julle, Nina, oom Guido, neef Andrea en mensen van de Italiaanse Vereniging Kerstavond vierden. Ik zou tot na Oud en Nieuw bij mama blijven.

Daar rook het naar Italiaans eten, koffie, cognac, panettone en Pall Mall zonder filter. Iedereen was vrolijk en luidruchtig. Met drukke gebaren leegden ze hun glas, lachten hard en schonken bij, morsten as op de witte tafelkleden die elkaar overlapten op de lange tafel, waar de borden en flessen dicht opeen stonden. Ze dansten wat. Zongen en deden spelletjes. Mama zag er mooi uit in haar batikjurk. Nina verwelkomde ons.

'Nee maar, hallo Leffe! Ha poppetje, wat leuk dat jullie er zijn! Kom binnen, Leffe, dan krijg je een longdrink! Of wil je liever een cognacje?'

'Een longdrink graag, als je hebt.'

Papa ging met zijn jas aan en drankje in zijn hand apart in de zijkamer zitten, naast de grote kamer waar iedereen kabaal maakte. Stak een sigaret op en keek voorzichtig om zich heen in het bijzondere huis waarmee alles waar hij van hield was verbonden. Hier was hij mama komen ophalen toen ze jong waren. Nu zat iedereen te wachten tot hij zou vertrekken.

Nina praatte met papa, luchtig over essentiële dingen. Oom Guido zong een oud kinderrijmpje waarbij hij mijn vingers naar binnen vouwde; ze bleven niet stil liggen en dat was precies de bedoeling: *Bim bim ba, caneri nera, volete biscottini, volete caramelle, bim bim ba, caneri nera.*

Mama en Lasse voelden zich opgelaten en bleven in de grote kamer. Kajsa stond een paar meter verderop met haar bruine ogen te kijken. De vader van Åsa! Ziet hij er zo uit? Praat hij zo? Kajsa zag hem anders nooit. Mama hield onze werelden zorgvuldig gescheiden.

Ik rende heen en weer tussen papa en de anderen, wist niet met wie ik zou praten. Waarom ging hij niet weg? Was hij verdrietig?

Toen papa de deur achter zich dichttrok en op zijn gladde, koude nette schoenen naar ons huis in Rönnbergagatan liep, huilde ik van schaamte over mijn opluchting en zijn eenzaamheid. Hij zou tot Driekoningen in de leunstoel blijven zitten. Door de terrasdeur zag ik zijn trieste silhouet verdwijnen in de natte sneeuw. Heel even overwoog ik om hem achterna te rennen.

Papa! Wacht op mij, alleen even mijn jas aantrekken!

Ik deed het niet.

Opa Julle droogde mijn tranen zonder er verder aandacht aan te schenken en zei dat nu ik er was de Kerst pas echt kon beginnen. Had ik nog een goed boek gelezen? Met zijn mooie handen begon hij op de gedekte tafel te trommelen. Eerst langzaam en toen steeds sneller begeleidde hij zichzelf bij 'Het lied van de Wolgaslepers'. Wij deden met hem mee. De koffiekopjes hopten op en neer. Het hele huis werd gevuld door het suggestieve lied, dat eindigde met een extatisch crescendo. Daarna volgden 'Bandiera rossa', 'Warszawianka' en 'Het Partizanenlied'. 'Een walsmelodie' van Ferlin was opa's glansnummer, als hij de tekst was vergeten mochten we hem niet helpen.

Oma zong weemoedige Russische volksliedjes over berken die midden in de zomer hun blaadjes verloren en vaders die nooit terugkeerden uit de oorlog. Stil wiegde ze op de maat van de woorden van voren naar achteren en ik bedacht dat niemand zo'n oma had als ik.

Papa was er graag bij geweest. Het was prettig dat hij er niet was.

Onze laatste Kerst samen was papa zo dronken dat hij niet zelf zijn schoenen kon aantrekken toen we naar Majken en Alexej gingen. Onderweg viel hij een paar keer om en slaagde er zonder mijn hulp niet in overeind te komen. Bij het opstaan schopte hij een schoen uit. Sta stil! schreeuwde ik toen ik probeerde de schoen aan zijn voet te doen. Hij stond op zijn kousenvoeten in de sneeuw om niet weer om te vallen. Hij hoorde mijn gebroken stem en vroeg hoe ik op Kerstavond nu verdrietig kon zijn.

'Niet verdrietig zijn, Natasja! Op Kerstavond moet je plezier maken. Op Kerstavond moet je blij zijn.'

TOEN HET KLASSE-11R-BIER werd verboden, ging papa in zijn lunchpauze naar de staatsslijterij. Als hij me kwam ophalen uit de naschoolse opvang rinkelden er in de groene schoudertas twee flessen witte wijn. Die maakten al gauw plaats voor een halve en later een hele driekwartliterfles wodka of brandewijn. Hij stonk steeds vaker naar sterkedrank.

De alcohol was er altijd geweest, maar als hij bier dronk merkte je niets aan hem. Nu was hij altijd aangeschoten of erger als hij uitklokte. Thuis zette hij de tas in de hangkast en ik maakte hem vlug open om stiekem te kijken hoeveel hij had gekocht en gedronken. In de keukenkast stapelden de lege flessen zich op.

De avonden waren niet langer leuk of vertrouwelijk. Hij was niet in voor een geintje en zijn grappen waren vooral grof. Als hij met gravin Bavianenreet op de proppen kwam werd ik razend, de knalscheten en sluipmoordenaars joegen me de kamer uit. Hij voelde zich dom en werd kwaad, kwam achter me aan en zei dat ik geen reden had om me als een idioot te gedragen. Twistziek begon hij discussies over pietluttigheden.

Hij had medelijden met zichzelf, maar het enige wat hij onder woorden kon of durfde te brengen was het vervloekte werk dat hij moest doen. Hij was nog geen veertig en had voortdurend pijn. Zijn vermoeidheid was chronisch. Zijn eenzaamheid ook.

We hielden op elkaar makker en maatje te noemen, maar hij vroeg wel naar Lena, de pop die allang niet meer overal met me mee naartoe ging en nu ergens in een doos lag.

'Leeft ze nog?'

'O, vast wel.'

Ik haalde mijn schouders op. Die vraag viel onmogelijk te beantwoorden.

Als papa dronk werd de wereld er niet mooier op en de mensheid niet aantrekkelijker. Het bestaan werd lelijk en het aantal idioten verveelvoudigde. De enige manier om de ellende het hoofd te bieden was nog meer drinken. De roes maakte dat hij slechter hoorde dan normaal. In 1968 had hij een gehoorbeschadiging opgelopen toen hij op zijn brommer onderweg van zijn werk naar huis werd aangereden. Hij heeft toen een tijdje verlof genomen bij Metallverken om het in de bouw te proberen, om te kijken of hij het daar beter naar zijn zin had. Maar zijn gehoorbeschadiging in combinatie met het levensgevaarlijke werk op een bouwplaats hadden hem genoodzaakt terug te keren naar de staalovens. Het ogenschijnlijk kleine ongelukje had grote gevolgen. Zijn droom om aan het zware werk van harder te ontsnappen moest hij opgeven. Het werk van bouwvakker was ook niet licht, maar je creëerde tenminste iets. Je zag iets zinnigs onder je handen ontstaan: woningen voor iedereen. Het staal dat hij bij Metallverken hardde, verdween uit zijn gezichtsveld om elders in Zweden aan iets te worden gemonteerd dat vervolgens werd geëxporteerd. Het eindproduct van zijn werk kreeg hij nooit te zien.

De alcohol vormde nog een demper voor zijn gehoor. Als ik iets zei, draaide hij zijn hoofd mijn kant uit en lalde dat hij niets hoorde omdat een halvegare van de Zweedse Worstelbond, zijn oude trainer nota bene, hem bijna had doodgereden. Hij vroeg me harder te praten, schudde meewarig zijn hoofd, en zei dat hij nog steeds niets hoorde.

Hij wilde dansen.

Jarenlang vond hij het muziekprogramma *Nygammalt*, een mix van volksmuziek, volksdans en populaire muziek, belachelijk en er waren maar weinig dingen die hem zo aan het lachen konden krijgen als vioolspelende mannen met een bloempotkapsel. Maar nu verheugde hij zich op het programma. Hij zei dat hij een dansje wilde maken. Ik probeerde eronderuit te komen, maar hij stond erop. Onhandig stortte hij zijn enorme lichaam in een vurige polka, maar hij kende de passen niet en in welke maatsoort de Gebroeders Lindqvist fiedelden deed er al helemaal niet toe.

'Maakt niet uit! Maakt niet uit! Nu maken we een dansje!'

Hij sloeg zijn grote armen om me heen en stampte op de vloer zodat het dreunde. Ik probeerde mee te doen, maar mijn lichaam protesteerde. Hij verloor zijn evenwicht, zocht steun bij het mahonietafeltje waardoor ze allebei tegen de grond gingen. Hij was snel weer op de been om verder te dansen. Sonja kwam naar boven om te vragen wat er aan de hand was.

'Ik wil dansen, maar de kleine meid niet.'

'En dansen is zo leuk! Zet eens discomuziek op, Leif!'

Hij werd kwaad. Kwam dat mens eindelijk een keer boven, kletste ze uit haar nek.

Papa belandde gedwongen in de ziektewet vanwege zijn zenuw- en alcoholprobleem en was lange periodes afwezig bij Metallverken. Toch brandden de staalovens. Ik vroeg niet wie zich over de ovens ontfermden nu de beste harder van Zweden thuiszat.

Hij werd gedegradeerd en was niet langer ploegbaas; het bedrijfsblad met de foto waarmee hij zo blij was geweest verdween in de stortkoker. Rusteloos door angstgevoelens en gebrek aan bezigheden streek hij alles wat in de linnenkast lag. Zweetdruppels vielen op paaslopers die ik nooit eerder had gezien. Verouderd archiefmateriaal van mama. Hij vroeg me om niet meer naar meester-harder Leif Andersson te vragen als ik hem op zijn werk opbelde.

Er viel niet met hem te praten en ik had er ook geen zin meer in. We waren allebei zo gefixeerd op zijn flessen dat we elkaar niet langer zagen. En als we praatten, voelde het alsof je iets zei met je mond tegen een glas geperst.

We werden naar een afgrond gedreven. Alles ging zo snel dat je de maanden kon tellen.

Vroeger deed ik alles in de nabijheid van papa. Nu verschanste ik me op mijn kamer, waar ik overlijdensadvertenties uit de krant knipte die ik in een Russisch kistje bewaarde. Papa leegde het zonder commentaar. Ik vulde het opnieuw. Het was een stille strijd waar we allebei over zwegen. Ik was niet langer bang voor de gedachte dat de dood hem van mij kon scheiden.

Ik wilde niet dat hij me nog kwam ophalen bij de naschoolse opvang en fietste zelf naar huis. Nam lange omwegen door de villawijken. Ik ben bezig gek te worden, dacht ik, heb net zulke zwakke zenuwen als papa. In de lente placht hij op dezelfde doelloze manier met mij rond te fietsen. Zette zijn fiets bij een bosje neer, leunde tegen een berk, sloot zijn ogen en fluisterde dat hij pijn had in zijn zenuwen. Toen ik klein was, vroeg ik wat zenuwen waren en hij legde uit dat het lange draden in je lichaam waren. Ik stelde me ze voor als de kauwgom die ik over de lengte van mijn arm uittrok, oprolde om mijn wijsvinger en weer in mijn mond stopte – iedere keer iets minder elastisch. Ik slikte mijn kauwgom niet langer door, bang dat die verstrikt zou raken in de zenuwen in mijn maag. Ik bedacht dat een mens misschien toch gemaakt was van hetzelfde materiaal als die vreselijke poppenhuispoppen.

Ik ging ook vaak naar oma en opa, die na de verkoop van het huis in een flat vlak bij de onze waren komen wonen. Nu hoefden we alleen de heuvel af voor lall en vlees met dille.

Oma had in korte tijd een hersenbloeding en een paar hartinfarcten gehad. En er stond haar nog meer te wachten. Ze sleepte met haar ene been en haar linkerarm kon ze niet meer gebruiken. Haar gehoorapparaat, van het formaat van een pakje sigaretten, hing aan een dun snoer om haar nek en deed het nooit. Opa kwam zelden nog thuis met snoekbaars of baars, maar soms kocht hij vis waarvan hij beweerde dat hij die zelf had gevangen. Ik zat in de keuken zijn drop op te eten. Ze hielpen me de tijd door te komen met een potje casino.

Sören kwam langs met een nieuwe camera. Hij was de enige collega met wie papa omging en ik mocht hem graag. Hij wilde een foto van ons maken voordat hij naar zijn vriendin in Norrland ging verhuizen. Ik poseer in een rode gabardine broek, wit poloshirtje en een bruin gehaakt vest dat oma Vera heeft gemaakt. Mijn haar in een paardenstaart, losse pieken zijn uit het elastiekje gegleden, en opa's rechteroor piept tevoorschijn. Onder mijn arm hou ik het postzegelalbum. Ik probeer met mijn grote rode mond naar de camera te lachen, maar mijn mond wil niet gehoorzamen. Een trieste clown. Niemand, dacht ik toen ik de foto later zag, kan om zo iemand geven. Waarom heeft niemand me verteld hoe lelijk ik ben?

Ik begon te schrijven in het dagboek met de duif dat ik van papa had gekregen. Fragmenten van de jaren met mama. Sterretjes die een schijnsel wierpen op bepaalde dingen die in de schaduw lagen, maar die toch te zwak en te kort brandden om aan het licht te brengen wat ik zocht. Ik schreef over de adventsterren die alle ramen in Viksäng verlichtten op de ochtenden dat alleen papa en ik al buiten waren. Over hoe breed zijn rug was vanaf de bagagedrager. Ik schreef over die keer dat we uit de naschoolse opvang naar de vanillegele kazerne gingen. Ik dacht dat we boeken gingen lenen bij de bibliotheek, en was verbaasd toen we een verdieping hoger gingen over de uitgesleten marmeren trap en bleven staan voor de grootste houten deur die ik ooit had gezien. Hij zat op slot en papa klopte aan. Hij zei dat we bij een vriend op bezoek gingen. Ik was te klein om te kunnen lezen, maar zag een cirkel met een driehoek op het metalen deurplaatje.

De AA. Hij klopte slechts één keer, en niet bepaald luid. Niemand deed open. We zijn er nooit meer geweest.

Een paar keer verzamelde ik de moed om de flessen leeg te gieten. Ik koos de flessen die naast zijn bed stonden. Niets was erger dan te zien dat hij zelfs geen kracht had om rechtop te gaan zitten om te drinken. Het haar op zijn achterhoofd zat plat van verdovende slaap. Als hij ontdekte wat ik had gedaan, eiste hij gekwetst excuses voor het feit dat ik hem zijn slaap misgunde. Hij las me de les terwijl hij me fixeerde als een wildeman in de boksring. Het kostte hem moeite zijn zelfverkozen martelaarschap te dragen.

Ik zei sorry.

Achteraf had hij last van schuldgevoel en kocht cadeautjes, één keer zelfs een zilveren ring met twee rode steentjes. Bij een andere gelegenheid kwam hij aanzetten met een duur horloge aan een ketting en een keer met een blok met de handtekeningen van de bandyhelden Torbjörn Ek en Sören Boström. In zijn tas zat vaker dan vroeger een zakje van Domus met een boek. Hij verving de oude boekenkast in mijn kamer voor een nieuwe, met schrijfplank.

'Hier kan mijn meisje zitten schrijven.'

Als hij al aanstalten maakte om met drinken te stoppen, was dat in combinatie met geldgebrek. Dan was hij timide en mild, ook al rebelleerde zijn lichaam. Hij zat in de leunstoel en probeerde zijn onwillige benen te strekken. Hij hield het slechts een paar dagen vol.

Op een zaterdagmiddag drukte opa papa tegen de muur en dreigde met zijn gepensioneerde metaalarbeidersvuist.

'Nu stop je met zuipen, rotjong! Denk aan het meiske!'

Ze waren geen van beiden groot van stuk, maar papa was massief met al zijn spieren. Nu zag hij er kleintjes uit. Werd het kind dat zo vaak een oorvijg van zijn vader had gekregen. De oude man kon hem niet aan, maar de woorden schrijnden als een broekriem op een ontblote rug.

'Ja ja', zei hij en hij keek weg, naar buiten, door de ramen van oma's mooie kamer.

Diezelfde dag was Anna-Karin jarig, ze woonde met haar moeder in het flatgebouw recht tegenover het onze. Ik had geen cadeautje bij me en vertrok als eerste. Ik wilde papa in de gaten houden, we waren met twee driekwartliterflessen brandewijn van de slijterij naar huis gefietst. Hij hoorde niet dat ik aanbelde en ik had geen sleutel. Ik dacht dat hij bewusteloos was, of nog erger, en rende huilend de heuvel af naar oma en opa. Toen papa me eindelijk kwam halen, was opa zo vertwijfeld over zijn zoon dat hij hem nooit meer wilde zien.

'Als je zo doorgaat is er straks niemand die om je geeft, dat begrijp je toch wel?'

Oma stond in de keukendeur te huilen.

Ik herinner me niet of het herfst of lente was, alleen dat we stil naar papa's plompe schoenen keken terwijl we de heuvel op liepen naar huis. Voor hem waren het honderddertig passen naar huis, voor mij honderdnegenenzeventig. Hij verstapt zich, maar slaagt erin zijn evenwicht te bewaren.

'Heb je pijn in je voeten?'

'Ik heb overal pijn.'

Hij had zo'n haast om bij de kast te komen dat hij vergat zijn jas en schoenen uit te doen. Het metalige geluid van de schroefdop ging als een elektrische schok door alles heen wat van ons was.

Recht voor mijn ogen ging hij kapot.

Ik was niet langer het kind dat wachtte op het moment dat papa de deur van de crèche zou opendoen, dat hem in huis volgde als een schaduw en dat tegen zijn schouder sliep met zijn rechterduim in een stevige greep. Ik verdween niet meer in de bank als ik wegkroop in een hoekje ervan, en de spiegel in de hal ontmoette de blik van een meisje dat bezig was te veranderen in een tiener die de punker Joakim Thåström adoreerde en die zich wel wilde maar niet durfde te kleden als Nina Hagen.

Ik weet niet wat papa meekreeg van mijn ontwikkeling en of het iets voor hem betekende dat ik hem niet meer op dezelfde manier nodig had als voorheen. Hij moet de geur van Date hebben geroken, mijn gevoelige borsten hebben zien opbollen onder mijn sweater en de pumps op de schoenenplank hebben zien staan. Ik weet niet of hij een lastige puberteit vreesde, rouwde om het feit dat ik niet langer zijn kleine meid was. We praatten niet langer over mij. Hij praatte over zichzelf.

Over hoe goed hij was in alles. Dat hij de beste harder van Zweden was, dat hij er veel jonger uitzag voor zijn leeftijd, dat het er bij hem thuis zo stijlvol uitzag, dat hij vroeger een fantastische voetballer was, dat hij het mooiste handschrift van Västerås had.

Hij leerde me te haten. Als hij zijn haar nat kamde omdat Sonja zou komen. Als hij de plank met smakeloze snuisterijen afstofte en de sprei op het wekkerradiobed rechttrok. Als hij met onzekere passen naar de kast liep om met een lelijke grimas – uitgerekend hij heeft nooit aan de smaak kunnen wennen – een paar slokken te nemen. Op zulke momenten wilde ik de kastdeur tegen zijn achterhoofd slaan. Ik stelde me voor hoe het hout kapot zou springen, de verflaag zou barsten en de schilfers op de grond zouden dwarrelen. Ik verafschuwde hoe hij zich beklaagde over armoede, maffe medemensen, stijve rug en handen en ondertussen hen, die er alles aan deden om te zorgen dat hij het beter zou krijgen, weghoonde. Hoe hij zich op de dag dat hij zijn loon kreeg uitdoste in zijn Kojakkostuum en vervolgens triomfantelijk op weg ging om zo'n armzalige kaas te kopen en zich verbeeldde dat hij heel wat was. Ik schaamde me ervoor hoe hij misbruik maakte van oma en opa zonder ooit dankjewel te zeggen. Walgde als ik hem de wc hoorde doortrekken. Of als ik zijn slappe zak uit de pijp zag bungelen van zijn onderbroek, waarvan het elastiek alle rekkracht had verloren.

Mijn vader was geen Baloo en al helemaal geen kapitein Efraïm Langkous.

Hij was niet langer een beminnelijk excentriek figuur van wie je kon houden. Hij was zwak.

Sommige ochtenden hoopte ik dat die dag het bericht van zijn dood zou brengen. Ik fantaseerde dat de rector op de deur van het klaslokaal zou kloppen en met ernstige doch meelevende stem met mijn leraar praatte en vervolgens met mij. Ik zou het bericht met waardigheid dragen, en van iedereen aandacht en medelijden krijgen.

Het was het beste dat papa dood zou gaan. Niet per se voor mij, maar voor hem, hield ik mezelf voor.

Ik zag mezelf bij de kist staan samen met oma en opa. Ik vroeg me af of mama ook zou komen.

IK BEGON MET mama mee te gaan naar partijbijeenkomsten. Het Boekcafé zat in Stora Gatan, de bovenverdieping werd door de Communistische Jongeren bevolkt. Het partijwerk werd een zingevend gemeenschappelijk project, al vond ik mezelf al gauw veel radicaler dan zij.

Ik was een tiener, maar hoefde niet te piekeren over de zin van het leven of over wie ik was. Het socialisme gaf me houvast op aarde.

Papa zei dat ik me bezighield met demonstratiepolitiek en snoof als ik zei dat ik ervoor streed dat hij zou worden bevrijd van de prikklok en zijn rugpijn.

'Om de klassenloze maatschappij waar jij het over hebt werkelijkheid te laten worden, moeten de mensen zich organiseren en strijd leveren, begrijp dat dan!'

Nee, dat begreep hij absoluut niet. Wat heeft het voor zin om zo bezig te zijn? Affiches en spandoeken kun je niet eten en je kunt er ook de huur niet van betalen, dat wist iedereen. Wat zullen de mensen wel niet denken? Hij zei dat het afgelopen moest zijn met die fratsen. Maar ik wilde niet iemand zijn die het onrecht bestrijdt met een gebalde vuist in de broekzak, ik wilde iets doen. Ik wist dat niets vanzelf zou veranderen.

Uit school ging ik naar het huis van mama, die nu in Klockartorpet woonde, een wijkje met flats tussen Skiljebo en Viksäng. Daar luisterde ik naar de Hoola Bandoola Band, Jösses flickor en Tältprojektet. Ik vulde mijn hoofd met teksten die me beloofden dat er een andere wereld mogelijk was als we maar samen streden. 'Ik ben een mens onder de mensen in de wereld', zong Mikael Wiehe. 'Zij die hun verantwoordelijkheid in de wereld verloochenen, verloochenen hen die zijn zoals zij.'

Het vuur brandde. Ik besloot van achternaam te veranderen.

'Andesjon', zei papa als hij de telefoon opnam. Er stond Andersson op de deur. Geen bijzondere naam, zei hij, maar fatsoenlijk. Arbeidzaam. Zweeds.

Ik had niets tegen Andersson, maar wilde de erfenis van Funkisgatan doorgeven en begon mezelf Linderborg te noemen. Papa wist van niets, totdat ik thuiskwam met een proefwerk dat hij moest ondertekenen. De hele avond zat hij zwijgend met zijn dikke duim over de naam in de linkerbovenhoek. Hij tilde hem op om te zien hoe ik mezelf noemde, in de hoop dat hij de eerste, tweede en tiende keer verkeerd had gelezen. De tv-programma's volgden elkaar op.

'Onderteken nou maar!' zei ik ten slotte.

Toen hij eindelijk de pen pakte, was zijn prachtige handschrift verwrongen.

Papa's meiske was Tanja's dochter geworden. Een Linderborger. We spraken er nooit over.

DE LAATSTE KEER dat ik oma zag, was op een middag na school. Opa was op het meer en Majken had haar net geholpen met douchen. Ze kwam me tegemoet. Naakt, met een badhanddoek om haar schouders. Een groot oud lichaam met zeven zwangerschappen achter de rug. Ik verstijfde van verlegenheid en weerzin, maar kon het toch niet laten te staren. Haar schaamhaar was lang, grijs en dun. Ze geneerde zich niet.

'Aai, wie hebben we daar? Ben jij het, Åsa?' vroeg ze, zoals altijd blij om me te zien.

Ik liep de keuken in en besefte dat ik niets van haar afwist. Wie waren haar ouders, wat had ze gedaan voordat ze opa was tegengekomen en in verwachting was geraakt? Er was alleen ruimte geweest voor opa's verhalen. Ze droeg een heleboel ervaring met zich mee waar niemand ooit naar vroeg en nu leek het te laat. Ik vroeg haar iets te vertellen over haar jeugd. Daar viel niets bijzonders over te zeggen, meende ze, behalve dan die ene gebeurtenis toen ze samen met haar moeder het huis van een overleden man had schoongemaakt en de kachelpoken uit eigen beweging in een kruis op de vloer waren terechtgekomen. Ze hingen de poken weer op, maar toen ze de volgende dag terugkwamen in het huis lagen de poken weer in een kruis.

'God zal er wel een bedoeling mee hebben gehad, denk ik zo, maar Joost mag weten wat.'

'Hè, gelooft u in God?'

Ik kon het onmogelijk goed hebben gehoord – opa zei immers altijd dat ze een piek in de kerstboom hadden als protest tegen de ster van Betlehem.

'Dat doet toch iedereen?' vroeg ze net zo verbaasd.

De dagen na haar begrafenis zat papa zich in de leunstoel

te wentelen in zelfmedelijden. Zijn broers en zusters waren kwaad op hem omdat de erfenis kleiner was dan ze hadden gehoopt, en nu zei Jarl dat het papa's schuld was.

'Ik heb nooit om iets gevraagd. Ik ben bijna nooit bij ze, wanneer had ik geld van ze kunnen lenen?' vroeg hij steun zoekend bij mij.

Ik erfde een paar gouden oorbellen en een Engels servies dat opa en oma voor hun gouden bruiloft hadden gekocht. Ik liet het onderweg naar huis uit mijn handen vallen, zodat er alleen scherven overbleven. De borden die op een ruzie-achtige Kerstavond aan gruzelementen waren gegaan, waren van hetzelfde servies geweest.

Na de dood van oma verkocht papa de Åsa aan zijn broer Rolf, die al jaren liep te zeuren of hij haar niet kon kopen.

'Wat moet je met de boot, Leffe? Verkoop hem aan mij, dan kun je hem lenen wanneer je maar wilt!'

'En wat moet jij ermee? Je kunt helemaal niet met een boot overweg.'

Bij alle grote familiebijeenkomsten was het hetzelfde liedje. Na een paar borrels begon broerlief te zeuren om de boot, totdat de anderen hem tot de orde riepen.

'Hou je kop! Leffe en de kleine meid kunnen de boot niet missen, snap dat dan!'

Als ze alleen waren, zei opa dreigend tegen papa: 'Als je die boot verdomme maar nooit verkoopt! Begrepen?'

'Tuurlijk niet, pa, ik ben niet gek! Die boot verkoop ik nooit!'

Ik weet niet hoe het is gegaan die zomer dat papa zich liet overhalen. Misschien zat hij zonder geld, net als toen hij mijn fiets verkocht. Het gerucht ging dat hij de Åsa voor veel te weinig van de hand had gedaan. Ik was een paar weken achter elkaar bij mama in de zomervakantie en wist van niets totdat ik via via hoorde dat papa zich van het boot-geld een epileptische aanval had gezopen. Nu lag hij in het ziekenhuis met een kapotgebeten tong.

Vanaf zijn ziekbed liet papa via Majken weten dat hij wilde dat ik op bezoek kwam. Het ziekenhuis lag een paar minuten lopen bij mama's huis vandaan. Ik ging erheen en maakte rechtsomkeert bij de ingang. Ik wilde hem niet zien, vernederd in ziekenhuiskleding met andere mensen op een zaal, in een verstelbaar bed met schone ziekenhuislakens, verzorgd door vriendelijk maar gedecideerd personeel dat serieus met hem praatte over zijn destructieve drinken. Snakkend naar een sigaret, snakkend naar alcohol. Opgezadeld met verwijtende broers en zusters in de bezoekersstoel.

'Waarom ben je niet gekomen?' vroeg hij toen we elkaar thuis in de keuken weer zagen.

Hij had het ziekenhuis verlaten zonder iets te zeggen, zonder dat hij gezond was verklaard of uitgeschreven. Hij was er gewoon vandoor gegaan om een behandeling te ontlopen.

'Ik ben wel geweest, maar snapte niet op welke afdeling je lag. Ik heb zeker een uur gezocht en er was niemand die me kon helpen.'

Hij zag dat ik loog.

Papa kon slecht liegen en de keren dat hij me niet de waarheid vertelde, waren op de vingers van één hand te tellen. Ik loog regelmatig voor ons allebei, om te beschermen wat van ons was. Maar tegen hem was ik in de regel eerlijk.

Ik vroeg of ik zijn tong mocht zien. Met een verwrongen grimas stak hij een grotesk ding met geschulpte randen naar buiten.

'Kijk dan!' zei hij en hij keek me recht in de ogen.

Bij het aanrecht stond een armzalig monster dat zijn eigen misvorming ontblootte. Mijn papa. De boot verkopen betekende dat hij alles opgaf.

Ik liep naar mijn kamer en sloot de deur achter me, maar ik bedacht me en ging terug naar de keuken om te vragen of hij geen spijt had. Of hij de Åsa niet miste.

'Nee, absoluut niet. Het onderhoud was zo verrot veel werk.'

Hij keek door het keukenraam naar buiten. Streek behoedzaam met zijn duim tegen zijn wijsvinger, zoals tijdens het ochtendbraken.

'Absoluut niet.'

Ik vroeg waarom de stereo weg was.

'Die heb ik aan een collega verkocht.'

'Hoezo? Waar is al het geld van de boot gebleven?'

'Ik heb er toch een heleboel dingen voor gekocht?'

'Wat dan?'

'Dit!'

Geërgerd wees hij op een paar kristallen wandlampjes. Om het bootgeld terug te krijgen – waarvan hij dacht dat het hem een zorgeloos gevoel zou geven – was hij wanhopig begonnen stukken huisraad van de hand te doen.

De zomer erop verkocht Rolf de boot door. Nog jaren fietste papa de jachthavens in Västerås af op zoek naar de Åsa. Hij wilde zien van wie de boot nu was, zich ervan verzekeren dat ze in goede handen was. Ik weet niet of hij haar heeft gevonden.

NACHTEN WERDEN WEKEN zonder dat ik bij papa verbleef. Mama had hem met veel ophef verlaten. Ik sloop weg.

Ik was veertien toen ik voor het laatst in Rönnbergagatan sliep. Het was buitengewoon leuk en we hadden samen pret voor de tv zoals in de jaren die we net achter ons hadden gelaten, maar die toch zo ver weg leken. Hij vroeg niet of ik dacht dat Sonja thuis was en hij stond niet naar haar op de uitkijk. Ik bedacht dat het best wel meeviel om bij papa te zijn, dat ik zou proberen vaker te gaan. Niet zo vaak als vroeger misschien, maar wel vaker.

Ik werd 's ochtends alleen wakker, papa was al naar zijn werk. Ik at een Lundius-boterham en dronk een glas water. Heel mijn garderobe hing bij mama in Klockartorpet, dus trok ik dezelfde kleren aan als de vorige dag: een tangaslip, een Levi's 501, een lichtblauw gestreepte trui en oma Vera's Poolse pumps. Ik maakte mijn ogen op met eyeliner zoals ik van Sonja had geleerd. Donkerrode lippenstift. Ik was de enige die zich zo opmaakte, en ik besteedde er veel aandacht aan. Mijn zelfvertrouwen zat in lichtgroene potjes waar 'Pierre Robert' op stond. Ik liep de heuvel af die papa's woning scheidde van de Viksängsschool.

Een paar uur later ging de woningbouwvereniging samen met de politie en de sociale dienst het huis binnen. Papa had acht maanden geen huur betaald en werd op straat gezet.

De hele avond had hij geweten dat ze zouden komen, maar tegen mij had hij niets gezegd. Met zijn sigaret en biertje had hij in zijn leunstoel zitten grinniken en gedaan alsof er niets aan de hand was. Ik heb geen idee wat hij dacht toen hij naar bed ging. Soms leek het alsof hij zijn zenuwen achterliet in de staalovens op zijn werk.

Toen ze rondkeken in de woning, ontdekten ze dat er iemand in mijn kamer had geslapen. Er zaten bloedvlekken op de lakens van het bed dat ik zelf had opgemaakt. Opa betaalde de huur en ze besloten dat papa er mocht blijven wonen. Ze wilde geen gezin met kind op straat zetten, zei de vrouw van de sociale dienst later tegen mama. Zij was ook lid van de partij. Ze wilden papa uit de ouderlijke macht ontzetten. Mama zei dat hij er niet mee geholpen zou zijn als ze hem het enige afnamen wat hij had – en in de praktijk was ik al in veilige handen.

Die avond zat ik met mama op mijn bed bij haar thuis. Kajsa was er ook bij. Ze was nooit in papa's huis geweest. Ik liet een portemonnee zien die ik 's middags samen met Helene had gekocht. Er zaten heel veel vakjes in en hij kostte vijfentwintig kronen. Ik had geaarzeld tussen deze, een zwarte en een mintgroene. Mama zuchtte en zei dat ik niet zo impulsief moest zijn en mijn geld niet zo over de balk moest gooien.

'Je bent soms net je vader.'

'Ik weet het.'

Als ik uit school naar Klockartorpet liep, keek ik omhoog naar papa's woonkamerraam – zijn vakje 24 – en verbaasde me erover dat hij nog steeds daar woonde. Dat hij er überhaupt nog was. Ik zag de kristallen lampen branden in het winterduister, ze waren de hele dag aan. Ik begreep dat hij in de ziektewet zat.

Wat deed hij daar, helemaal alleen?

De lampen brandden zowel voor de buurvrouwen als voor mij. Hij wist dat ik iedere dag langsliep. Kom thuis, zeiden ze. Hier ben ik, Madeliefje! Weet je nog wie ik ben?

Een paar keer moest ik naar boven om iets op te halen – boeken, platen, schaatsen. Ik ging naar binnen met de sleutel en was opgelucht als ik zag dat hij in de leunstoel zat te slapen. Ik sloop naar binnen, pakte wat ik nodig had en vertrok weer. Ik hoopte dat hij niet wakker zou worden als ik de buitendeur achter me dichttrok. Soms had hij de deur binnen op de knip gedaan, waardoor ik er niet in kon. Dat was op de dagen nadat hij zijn loon of ziekengeld had gekregen. Dan was hij bang om beroofd te worden, een dikke bundel bankbiljetten vulde zijn portefeuille, die hij zichtbaar had verstopt in een groot boek in de boekenkast.

Toen ik op een middag de sleutel in het slot stak, kwam hij net uit de keuken.

'Hoi.'

'Dat is even geleden.'

'Ik had het zo druk met school.'

'Ja ja.'

Hij was nuchter, maar zat in de ziektewet. Ik liep even door de woning voordat ik op de fluwelen bank ging zitten die zo goed als nieuw was. Papa nam plaats in de leunstoel. Stak een sigaret op.

'Hoe is het verder?'

'Best. Ik heb vandaag een natuurkundeproefwerk teruggekregen, maar twee fout. Loop je in de ziektewet?'

'Het zijn m'n zenuwen.'

Ik liep naar de tv en zette hem aan. *Alias Smith & Jones*. We begonnen te praten en het werd gezellig. Papa grinnikte, ik lachte luidkeels. Ik bedacht dat ik vaker langs zou gaan, maar dan ontdek ik dat ik midden in mijn Hubbabubbakauwgom zit. Ik begin de kauwgom achter mijn rug los te trekken, waardoor een groot stuk van het fluweel meekomt, en ondertussen praat ik nerveus door over van alles en nog wat. Ik verberg de kale plek onder een sierkussen, zeg gedag en vertrek naar mama. De verpeste bank was een slappe smoes om niet meer naar papa toe te gaan.

's Nachts had ik nachtmerries over hoe we schoonmaken in Rönnbergagatan voor als mama zou komen. We zijn zenuwachtig als er wordt aangebeld, maar niet zij staat voor de deur, het is iemand anders. We zijn allebei teleurgesteld en opgelucht. Als we terugkeren naar de keuken om verder te gaan met poetsen, zit de eekhoorn op de vensterbank. Hij bonkt hard tegen het raam, schreeuwt dat hij naar binnen wil. Papa is blij, maar ik ben bang.

Ergens in die periode maakten mijn hersenen een serie plaatjes aan die nog steeds oppoppen in het verlengde van mijn actieve denken. Meerdere keren per etmaal, en altijd als ik wegdommel: het ochtendduister in Rönnbergagatan – de bagagedrager – de heuvel af naar de crèche en Metallverken – de schoenen op de halmat – ha poppetje, fijn je te zien – snoekbaars bij oma en opa – de Stjärnhall – blikjes Pripps Blå – *Aftonbladet* – het tv-programma *Sveriges Magasin* – het bed – Lena – papa's duim.

Ik begon Lasse papa te noemen. Die andere man liet ik alleen met demonen waar ik niets van wilde weten.

Op een avond belde hij aan bij mama. Ik was onaangenaam verrast toen ik de deur opendeed en zag dat het papa was, maar ik herstelde me vlug en probeerde een grapje te maken. Schelms, alsof we oude dienstvrienden waren. Zijn rare zwarte jas droop van de regen en hij was niet in de stemming voor geintjes. Hij had zich buitengesloten. Moest mijn sleutel lenen. Ik heb hem nooit teruggevraagd.

Voor die tijd kwamen we elkaar soms toevallig tegen wanneer hij als onderdeel van de Aseastroom op weg was naar huis. Ik kon me nergens verstoppen. Als Helene en ik hem zagen, staken we de straat over. Dat had mama ook jaren gedaan.

'Zo kan het niet langer', zei hij. 'Je moet een keer thuis langskomen.'

'Ik weet het. Donderdag kom ik.'

Hij smeekte om contact, en begreep ook dat ik het niet wilde. Hij voelde zich rot zonder mij en nu zei hij dat.

Als hij 's avonds overwerkte, belde hij soms terwijl hij stond te wachten tot het staal op de juiste temperatuur was gekomen. We praatten lang over koetjes en kalfjes. Russische onderzeeërs, Ronald Reagan, minister van Justitie Ove Rainer. We hadden het niet over hem. Niet over mij.

Elke dag kwam ik van en naar school langs Rönnbergagatan. Maar nooit liep ik de heuvel op om bij papa aan te bellen. Niet die donderdag en ook niet de week erop.

Op een zomerdag was hij zijn portefeuille kwijtgeraakt en had een nieuwe legitimatie nodig. Of ik hem kon helpen?

Voor het eerst stapte papa over de drempel van het huis van mama en Lasse. Ik was alleen thuis en nodigde hem uit het huis te bekijken. De slaapkamer sloeg hij over, maar hij registreerde wel dat er een bed van spaanplaat stond van Obs! Interiör, zonder hoofd- en voeteneinde en zonder sprei. Hij bleef staan voor de overvolle Ivarkast, waarin *De bot* van Günter Grass en *Asian drama* van Gunnar Myrdal naast de verzamelde werken van Lenin stonden, die niemand wilde lezen.

'Dat is toch geen gezicht?' vroeg hij op licht sarcastische toon terwijl hij met zijn hoofd naar de uitpuilende tijdschriftencassettes knikte.

Hij stond op het punt om met zijn vinger aan het onbehandelde hout te voelen, maar bedacht zich en stak zijn hand weer in zijn zak. Hij draaide zich om.

'Een geruite bank! Zeker IKEA?'

IKEA was een plek voor onzelfstandige mensen. Voor lui zonder eigen smaak.

'En geen gordijnen voor de ramen! Is dat een soort demonstratiepolitiek van je moeder?'

In de keuken deinsde hij terug voor de oranje keukenkastjes. Voor het raam hingen roedes met gehaakte pannenlappen, een soort gordijnen die oma Vera had gemaakt. Hij moest zo grinniken dat de tranen in zijn ogen sprongen.

'Het ziet er echt verschrikkelijk uit hier!'

Hier woonde de vrouw met wie hij ooit getrouwd was geweest en die hij nog altijd miste. Maar dit was ze dus: IKEA-meubels, voddenkleedjes, een bed zonder sprei.

Je kende haar niet, hè? wilde ik vragen.

Ik vroeg of hij een boterham wilde.

'Tja, waarom niet?'

Er was alleen knäckebröd en het duurde even om het weg te krijgen vanwege zijn slechte kiezen. Maar de zachte grevékaas ging erin als koek. Ik sneed een paar extra plakken af, die hij dankbaar in zijn mond stopte en tot een massa vermaalde die hij met zijn tong in cirkels tegen zijn verhemelte duwde en met een slok maltbier wegspoelde. We praatten even over opa. Ik vroeg niet naar zijn werk, ik was bang hem in verlegenheid te brengen voor het geval hij weer in de ziektewet zat.

In mijn kamer was hij meer ontspannen en hij nam uitgebreid de tijd om mijn boekenkast te bekijken. Mocht hij *De hand van de dode man* van Folke Fridell lenen? Met tegenzin gaf ik hem het boek. Ik was zuinig op mijn boeken en wist niet of ik het wel terug zou krijgen. Hij vroeg of ik ook iets leuks in de kast had staan en ik haalde een pocket met de memoires van Groucho Marx tevoorschijn. Dankbaar pakte hij het boek aan.

Aan de muur hingen krantenknipsels over Ebba Grön en de Sex Pistols. Hij vroeg hoe ik in vredesnaam van die gangstermuziek kon houden. Ik zette de plaat 'Staten och Kapitalet' op. Hij zei dat hij het niet kon verstaan omdat ze zo vreselijk schreeuwden. Ik vroeg hem te luisteren naar 'Beväpna er' en gaf voor de zekerheid een samenvatting van de tekst voordat ik de lp op de platenspeler legde. Hij grijnsde geïnteresseerd toen Thåström schreeuwde hoe hij Zarah Leander, prins Bertil en Carl Gustaf en het hele koninklijk huis, ja, de hele burgerlijke mikmak haat en dat we ons allemaal moeten bewapenen. Dat nummer was leuk. Verrekte leuk. Aangemoedigd zette ik het nummer 'Vad ska du bli?' op.

Opstaan, naar je werk, werken werken, lunchen, en morgen weer hetzelfde, werken, met de tram naar huis en staren op de bank. Dat is geen leven, dat is slavernij.

Ik dacht dat het een schot in de roos zou zijn, maar in plaats daarvan begon hij uit te varen dat melkmuilen die nooit hadden gewerkt geen flauw benul hadden en daarom hun bek moesten houden.

'Allemaal junkies, de hele mikmak.'

Hij had een lekke band en ik ging op zoek naar het reservesleuteltje van Lasses fiets. Toen we buiten kwamen stond er een koude wind. Midden in de zomer. Ik ging een trui voor hem halen die mama had gebreid.

'Kan Tanja handwerken?' vroeg hij verbaasd.

Ik herinner me twee kruissteekboeken die in een doos in de oude boekenkast in mijn kamer hadden gelegen. Gefascineerd, verwonderd keek ik naar de prachtige patronen van appelbloesem, driekleurige viooltjes, koperen pannen en diverse varianten van het alfabet, en vroeg me af van wie de boeken waren. Van mama konden ze niet zijn, dacht ik, want ze waren zo anders dan zij, ze ademden gesteven schorten, rundergebraad op zondag en kneuterige damesbladen. Zo was mama niet. Mama was corduroy jas, chili con carne en linkse opiniebladen. Zouden ze soms van oma zijn?

Het had heel lang geduurd voordat ik begreep dat mama gedwongen werd iemand anders te zijn toen ze met papa was.

Was papa toen ook een ander geweest of was zijn persoonlijkheid de eeuwige constante in alles? In heel dat drama waarvan mama dacht dat ze er langgeleden uit was gestapt, maar waarin ze voor altijd de hoofdrol deelde met papa en mij.

Ik herinnerde me ook dat papa ooit een mooie wollen donkerblauwe lange jas en een grote Russische bontmuts had gehad. Dat had ik gezien op een filmpje gemaakt met de Super-8-camera van opa Julle. Toen mama vertrok, verdwenen ook die kleren. Ik herinner me dat hij de jas en muts droeg op de ochtend toen ik na een paar dagen absentie weer op de crèche verscheen en de juf naar me toe komt en me knuffelt en vervolgens opstaat en tegen papa zegt dat ze heeft gehoord wat er is gebeurd en hij vervolgens begint te huilen. Nu wilde ik papa vragen waar die lange jas is gebleven, maar dat was toch zinloos want hij zou antwoorden dat hij niet begreep waar ik het over had. Wat voor lange jas, wat klets je voor onzin? Ik heb nooit een lange jas gehad.

We fietsten naar fotoatelier Eggeborn om pasfoto's voor zijn nieuwe legitimatiebewijs te laten maken, die ik betaalde. Bewonderden de bloemenpracht op het marktplein, keken in de houten tonnen met Västeråse zure bommen. Het was jaren geleden dat we hier samen waren geweest en we zouden allerlei belangrijke dingen met elkaar moeten bespreken, maar we praatten over ditjes en datjes alsof we elkaar gisteren nog hadden gezien. Ongewoon, maar niet onnatuurlijk. Door de herinnering aan de kruissteekboeken kreeg ik ineens zin om te borduren en ik vroeg of papa mee wilde gaan naar de handwerkafdeling van Domus. Hij hielp me een patroon uitkiezen en borduurzij voor een kleedje en vroeg voorzichtig of hij het mocht hebben als het klaar was.

In Klockartorpet legden we in stilzwijgende verstandhouding de trui en fietssleutel van Lasse terug. De geleende spullen en het uitstapje stapelden zich op de duizenden geheimen die we samen deelden. Het was een prima dag.

'Tot gauw', zei ik.

'Dat zou fijn zijn.'

Maar er kwam niets van. Telkens als ik van plan was naar Rönnbergagatan te gaan, bedacht ik me en ging iets anders doen. Ik was bang dat hij de deur zou opendoen met slaapplooien op zijn wang, het journaal aan – het geluid hard voor zijn verdoofde zintuigen – dat hij naar de keuken zou strompelen en zachtjes vervloeken dat ik uitgerekend vandaag kwam, net nu hij een 'beetje katterig' was.

Ik kon het niet aan teleurgesteld te worden.

Weken werden maanden. Toen hij jarig was, gooide ik een boek in de brievenbus en holde weg voordat hij de deur kon opendoen om me binnen te roepen.

Het duurde een paar jaar voordat we elkaar terugzagen.

HET ZIJN VAST smerissen die Palme hebben neergeknald, zei papa. Als je er goed over nadenkt, is het vreemd dat ze dat niet jaren geleden al hebben gedaan. Of de yankees. Die idioten kunnen het ook geweest zijn.

'Misschien hebben ze samengewerkt', zei ik.

'Best mogelijk.'

Hij stond op de vertrouwde manier tegen het aanrecht geleund. Rookte een sigaret, sloeg zacht tegen zijn schouders. Zei dat hij pijn had.

Alles zag eruit als vanouds, afgezien van een schoolfoto van mij boven de tv. Die was genomen in het jaar dat ik bij hem was weggegaan. Zo sprekend haar moeder als een dochter maar kan zijn. Ik weet niet of papa het zag, of hij überhaupt nog aan mama dacht.

De moord op Olof Palme dreef mij naar Rönnbergagatan. Papa's bewondering voor Palme was enorm, het lag niet aan hem dat papa nooit op de sociaal-democraten stemde. Toen ik klein was, vertelde papa dat Palme tien talen vloeiend sprak en dat hij als negentienjarige in een paar maanden zijn kandidaatsrechten had behaald – een ongelooflijke prestatie. Als alle leiders ter wereld zoals Palme waren, konden oorlogen en armoede in het tijdsbestek van een eerste helft worden beslecht. Diep van binnen, zei papa, is Palme communist.

Opa Julle had me het tegenovergestelde geleerd. Palme was het brein achter IB, de inlichtingendienst die ervoor zorgde dat iedere communist, radicale sociaal-democraat, anti-imperialist en vredesactivist op de ellenlange lijsten van de veiligheidspolitie belandde. Diep van binnen, zei opa, is Palme een CIA-agent. Een handlanger van Nixon.

Nu was Palme doodgeschoten en daar was ik niet heel

erg rouwig om. Ik probeerde te weten te komen wie hij was geweest om erachter te komen om wie ik moest treuren, maar het verwarde me zo dat ik besloot het gevoel dat er iets spannends was gebeurd te laten overheersen.

Ik had Joakim bij me. Het was voor het eerst dat ik een vriendje mee naar huis nam, en er zouden nog meer mannen volgen. Papa was vriendelijk, maar toonde nooit veel belangstelling. Hij vergat hoe ze heetten en vroeg niet waar ze vandaan kwamen. Hij wilde alleen weten wat voor werk ze deden. Dat was voldoende voor hem.

Ik vroeg hoe het met opa ging. Ik ging zelden naar Södergården, het bejaardentehuis in Viksäng, waar opa nu woonde. De laatste keer dat ik daar was, had hij net papa's huur weer betaald. Papa was met een paar vrienden naar de kroeg geweest, en blij met een beetje gezelschap had hij het in zijn hoofd gekregen een rondje te geven. Dat had opa vierduizend kronen gekost. Opa was teleurgesteld en had gezegd dat hij de hoop had opgegeven wat zijn jongste zoon betreft. Dat vond ik moeilijk om aan te horen. Als ik er niet heen ging, werd zulke informatie me bespaard.

'Het gaat redelijk met opa, maar hij begint wel af te takelen. Hij kletst zo uit zijn nek dat je niet weet waar je moet kijken. Hij beweert dat hij met Oscar ii op berenjacht is geweest. Wat zit je nou voor onzin uit te kramen, zei ik, op berenjacht met Oscar ii? Godallemachtig, dat beweerde hij.'

Papa liet ons een messing aansteker zien, zo groot als een rol wc-papier, en een bijbehorende kandelaar die hij van Metallverken had gekregen omdat hij iets had bedacht waar ze patent op konden aanvragen. Daarnaast had hij drieduizend kronen gekregen. Het was niet voor het eerst dat zoiets gebeurde, en papa sprak met gemengde gevoelens over zijn uitvinding. Aan de ene kant was hij trots, aan de andere kant was hij kwaad dat hij maar zo'n gering bedrag kreeg voor een vondst waarmee zij heel veel poen zouden verdienen. Hij voelde zich een lijfeigene.

We omhelsden elkaar bij het afscheid.

'Tot gauw!'

'Ja, tot gauw.'

Toen we op het punt stonden om de deur dicht te trekken, vroeg hij naar Sonja.

'Heb je gezien of er licht brandde bij Sonja?'

'Welke Sonja?'

'Sonja van beneden, heb je gezien of ze thuis was?'

'O ... Anita! Ik weet het niet, ik heb er niet op gelet. Woont ze hier nog steeds? Zal ik even gaan kijken?'

Ik rende naar beneden om te kijken of haar raam verlicht was, en toen ik weer bovenkwam moest ik het weten. Jarenlang had ze bij ons op de bank gezeten en ik wist niet of ze nu Sonja of Anita heette. Hij keek me niet-begrijpend aan.

'Hoe ze heet? Hoe moet ik dat in godsnaam weten?'

We liepen richting Haga. Joakim leek een beetje op opa. Slank en pezig, vooroverhellend loopje. Als hij sprak, hakkelde hij eerst een beetje voordat hij op het ritme van een wijzende hand aan een zwengelende arm een of ander ideologisch principe debiteerde. Hij begon aan een militaire opleiding maar toen de veiligheidsdienst te kennen had gegeven dat hij rood was, werd hij de laan uit gestuurd.

Hij noemde me Fina. We mochten elkaar graag.

Ik vroeg wat hij van papa vond. Joakim was er trots op dat hij van de arbeidersklasse afstamde, die volgens hem voor waarheid, moraal en fatsoen stond. Hij wilde graag een beetje uniek zijn met zijn achtergrond. Tot nu toe was hij alleen in Klockartorpet geweest en hij had me uitgelegd dat ik was opgegroeid in een typisch middenklassemilieu: met de krant *Dagens Nyheter*, gelijke verdeling van het huishouden, een wijnrek, het provincietheater, Beethoven, de Woordenlijst van de Zweedse Academie, gorgonzolasaus. Nu had Joakim eindelijk mijn vader ontmoet en ik was benieuwd naar zijn indruk.

Joakim wist niet wat hij ervan moest denken.

Papa leek totaal niet op de arbeiders die hij kende. De alcohollucht, de tatoeages en de dikke ketting van licht metaal om zijn nek waren nu niet bepaald de attributen van een lid van de vakbond. Hij wilde me geen verdriet doen, maar zocht in zijn zachte Dalslandse dialect naar woorden om een vertegenwoordiger te beschrijven van het lompenproletariaat waar Marx over sprak, het gepeupel dat dienst zou nemen als knecht bij de burgerklasse op de dag dat de revolutie zou aanbreken. Hij zei het niet met zoveel woorden, maar hij rekende niet op papa in de strijd, die mannen van staal vereiste.

Later kreeg Joakim werk als spuiter in de Mimerfabriek. De mensen die er lang werkten, liepen beroepsziektes op waardoor onder andere hun geheugen werd aangetast: ze wisten niet altijd of ze de Aseastroom naar rechts of links moesten volgen om thuis te komen. Ze zeiden dat zijn geklets over democratie op de werkvloer en arbeidsomstandigheden weliswaar belangrijk was, maar ook een beetje pijnlijk. Het heeft geen zin om heibel te maken, zeiden ze, en Joakim vreesde dat het niet lang zou duren voordat hij het met hen eens zou zijn.

Als hij 's avonds thuiskwam, legde hij me uit dat je de arbeiders niet kunt opdelen in mooie en lelijke. De arbeidersklasse is een collectief dat bestaat uit miljoenen individuen die stuk voor stuk alle clichés tarten. Niemand was als Leif, maar hij wou dat er meer waren zoals hij.

Na drie ongemakkelijke jaren op het Rudbeck Gymnasium behaalde ik mijn einddiploma. De elitaire school lag tussen de domkerk en de wijk Kyrkbacken, slechts een paar meter van het marktplein en café Bakfickan. Voor papa behoorde voortgezet onderwijs tot een andere wereld.

Toen ik klein was, zeurde ik hem aan zijn hoofd of we niet naar Kyrkbacken konden gaan. Ik was daar met de naschoolse opvang geweest en was verrukt over de pittoreske houten huisjes die zo'n contrast vormden met al het beton en baksteen. Papa had geen belangstelling. Hij kon zich zelfs niet herinneren ooit in het slot van Västerås geweest te zijn, de domkerk had hij een keer bezocht in zijn schooltijd, en hij zag geen reden er nog eens heen te gaan. Het waren allemaal gebouwen van de overheid. Ze behoorden niet tot de stad die hij kende als de zijne.

Op het Rudbeck leerde ik leeftijdgenoten kennen die niet wisten wat Metallverken voor iets was, laat staan dat ze iemand kenden die er werkte.

Het duurde lang voordat mijn klas verscheen met de witte studentenpetten op. Papa liep rond om me te zoeken, dacht dat ik hem en de andere familieleden die me opwachtten misschien niet had gezien. Het was een beetje pijnlijk voor hem om daar met Lasse en de anderen te staan.

Opa Julle legde met zijn Super-8 vast hoe iedereen naar voren kwam om me te feliciteren, maar ik speurde rusteloos of ik papa ergens zag, want tot mijn verbazing had ik gehoord dat hij er ook was.

'Papa, papa!' roep ik op de geluidloze film, het enige wat je ziet is hoe mijn mond onrustig beweegt.

Na een poosje vond hij ons. In zijn goeie goed, een beetje afgedragen. Hij staat niet op de film.

'Niet slecht', zegt hij terwijl hij naar mijn pet wijst. 'Al ziet hij er anders uit, jij hebt iets wat de anderen niet hebben.'

Ik had het geel-zwarte merkje eraf gepulkt en vervangen door een hamer en sikkel van metaal. De pet had ik over mijn hoofd getrokken zoals ik bij Aina Erlander op oude foto's had gezien. Papa tikte met de nagel van zijn middelvinger tegen het embleem.

'Is dat wel de bedoeling?'

'Ach, een beetje demonstratiepolitiek.'

'Aha.'

Mijn studiezin voor het pakket met gammavakken was al op de eerste dag verdwenen. Wanneer de andere studenten ploeterden met wiskunde, zat ik op het kantoortje van de Communistische Jongeren artikelen te schrijven over de klassenstrijd en de steun van de vs aan allerlei repressieve regimes. Nu stond ik daar dan met mijn eindlijst die niet goed genoeg was om te worden toegelaten tot de opleiding journalistiek. Helene werd door haar familie opgewacht met een bord waarop een foto van haar als baby prijkte. Ik werd opgewacht met een hamer en een sikkel.

Mama had zich wekenlang uitgesloofd voor een feestelijke bijeenkomst. Papa zat gezellig met Majken en Alexej op de IKEA-bank. Iedereen was blij dat hij er was, ook al voelde het vreemd. Lasse serveerde frisdrank.

Lasse en papa waren vreemden voor elkaar. Maar ze voelden geen vijandschap. Zo waren ze geen van beiden. Lasse was een boerenzoon uit Småland die politicologie in Lund had gestudeerd. Hij liep in een corduroy broek, reed auto, bespeelde een instrument en was geïnteresseerd in vogels, orchideeën, mossen en korstmossen. Toen ik Frans kreeg op de middelbare school, volgde hij een avondcursus om zijn Frans op te halen. Een man van weinig woorden, rustig, betrouwbaar.

Papa vroeg nooit naar Lasse. Hoe hij was, wat we samen

deden. Hij was ook niet nieuwsgierig naar de bezoekjes aan Gränna, waar de ouders van Lasse woonden. Gunnar en Anna-Lisa waren gepensioneerde pachters en pasten niet in de categorieën boeren waarover papa het had.

Volgens papa waren er vier soorten boeren, niet meer en niet minder. De door weer en wind geteisterde arme boertjes en landarbeiders over wie Moa Martinsson, Ivar Lo-Johansson en Vilhelm Moberg schreven. De rijke en conservatieve boeren – kloteboeren. Boerenkinkels en dorpsgekken waren gewone Västeråsers van de andere kant van de stad. En dan had je nog premier Thorbjörn Fälldin, dat was een klasse apart. De 'groene alternatievelingen' werden echter ingedeeld bij de linkse academici en dikdoeners – zij die de hele jaren zeventig nodig hadden om uit te leggen waarom de mijnwerkers in Malmbergen staakten, terwijl het voor iedereen zonneklaar was dat ze het werk neerlegden omdat ze woedend waren. Hoeveel woorden en doctorshoeden waren er in godsnaam nodig om dat te snappen?

Als ik iets kwijt wilde over Lasse en wat we samen deden, mocht dat. Er waren geen gespreksonderwerpen die taboe waren, alleen in gezelschap van andere mensen waren sommige onderwerpen ongemakkelijk. Ik verzon van alles en nog wat over Gränna om hem te plezieren. Dat ze er zo gruwelijk christelijk waren, dat de stallen naar stront stonken, dat ze vreemd praatten. Je mocht er niet kaarten, niet vloeken. Schilderijen van Jezus aan de muur.

Maar sommige dingen kon ik niet vertellen. Dat we kreeft hadden gevangen in pikzwart water en dat Anna-Lisa alles van de kreeften had weggegooid behalve de staarten.

In feite waren de ouders van Lasse in veel opzichten als de ouders van papa. In de mooie kamer stond een buffetkast en er hing een kristallen kroonluchter. De keuken had hetzelfde behang. Ze klapperden ook met hun kunstgebit, Gunnar was net zo'n grappenmaker als opa en zijn handen waren al net zo getekend door het werk. Ze waren aardig, zorgzaam. Dat ik hen na een paar jaar ook oma en opa ging noemen – al zouden ze nooit de plaats van Kalle en de Boei kunnen innemen – kreeg papa evenmin te horen.

Mama trakteerde papa op kippenpastei. Het was de laatste keer dat ze elkaar zouden ontmoeten, maar dat wisten ze natuurlijk niet toen ze afscheid namen. Waren ze zich er wel bewust van geweest, dan hadden ze evenmin de balans opgemaakt en elkaar bedankt voor alles.

Wij, die ooit een gezin vormden, hadden niet eerder een hele middag samen doorgebracht. De laatste keer dat ik me kon herinneren dat we met elkaar aan tafel zaten, had mama haar stoel achterovergewipt om een mes te pakken en was ik bang dat ze zou vallen en zich pijn zou doen. Op de borden lag een sterke witte saus – mierikswortel – die papa had willen eten maar waar ik amper een hap van nam. Ik had net een vogelreep chocola op die hij voor me in de kiosk had gekocht nadat we ons samen een kriek hadden gelachen.

Het was tijd voor papa om op te stappen. Hij stond in de hal en zocht naar een schoenlepel.

'Bedankt, het was gezellig', zei hij en hij stak zijn hand uit.

Mama gaf hem een knuffel.

'Niet te geloven dat we zo'n knappe dochter hebben!'

TOEN IK TEGEN papa zei dat ik een baan als inpakker bij de Konsumbakkerij had, keek hij me aan alsof hij me verkeerd had verstaan, en haalde vervolgens gelaten zijn schouders op.

'Tuurlijk, dat werk moet ook gedaan worden.'

De broodfabriek en Metallverken lagen ieder aan een kant van de grote kruising tussen Pilgatan en Björnövägen. De prikklok zag eruit zoals ik me herinnerde van vroeger in de staalharderij; hij viel niet te paaien of te bedotten. Als het tijd was om uit te klokken, stagneerde de rij iedere dertig seconden. Als de klok doorklikte naar de volgende minuut kwam de rij weer op gang om al gauw weer op te stoppen – zo weigerden we dertig seconden van ons leven cadeau te doen. Ik wilde die klotemachine een oplawaai verkopen zoals ik papa een keer had zien doen, maar durfde niet. Het leidde trouwens nergens toe, maar dat wisten alleen papa en ik.

De mannen leidden het werk, bakten het brood en transporteerden het naar de winkels. De vrouwen kregen stukloon voor het verpakken van de bolletjes en zoute stengels en legden de broodzakken en koekkartonnetjes op de lopende band. Als ik opkeek zag ik de rug en gebogen nek van een collega van wie ik niet meer te weten kwam dan haar naam.

Je schouders deden pijn, je benen raakten verdoofd, je voeten zetten op tot een grotere maat. Ik wreef mijn pijnlijke, rode en schrale handen, doodsbang dat ze net zo stijf zouden worden als die van papa.

Ik had er behoefte aan hem te zien. Wilde hem mijn vleeshaken tonen en over het socialisme praten – dat mocht niet lang meer op zich laten wachten.

Met een taxi kwam hij bij Joakim en mij in Furugatan langs, slap van de ontwenningsverschijnselen. Zijn vork schudde toen hij in een aardappel wilde prikken. Hij legde het bestek even neer voor hij een nieuwe poging deed. Aan mijn handen zag hij niets bijzonders. Hij bezocht ons op een zomerdag toen hij van Majken onderweg naar huis was. Hij droeg een vuil, gewatteerd jack, centimeterslang haar viel over zijn kraag. Hij was veranderd in de sloeber die hij voor geen prijs wilde zijn. We praatten maar kort, zeiden dat we gauw weer moesten afspreken.

Hij kwam terecht in een ontwenningskliniek met antabus en een psycholoog, vruchteloze behandelingen die zijn wantrouwen tegenover degenen die zeiden dat hij hulp moest zoeken alleen maar vergrootten. Hij sprak er niet over, ik hoorde het via Majken.

We zagen elkaar nu vaker. Het was makkelijker voor ons allebei contact te onderhouden nu ik een eigen huis had. Ik was achttien en niet langer afhankelijk van hoe papa zich gedroeg. Ik kookte een eenvoudig potje voor hem en hij haalde bier uit zijn tas tevoorschijn. Hij wist dat ik geen drank zou aanbieden, maar dronk zich bij ons nooit zat. Hij vroeg of Joakim een glas wilde, maar het kwam niet in hem op het aan mij te vragen. Dat papa en ik een Pripps Blå zouden delen, was voor ons allebei ondenkbaar.

De verachting en vertwijfeling die ik als tiener had gevoeld, maakten plaats voor genegenheid en schuldgevoel. Ik ruimde de tafel af, schudde een spel kaarten en wenste dat zijn leven ook ooit zou beginnen.

Hij bleef nooit erg lang. Ik geloof dat hij zich in mijn gezelschap meer verveelde dan ik in het zijne. Of hij vertrok vroeg omdat hij precies het omgekeerde dacht.

Ik werd benoemd tot vertegenwoordiger van de Communistische Jongeren en ontmoette Ervin op een congres in Boedapest. Hij was internationaal secretaris voor de Hongaarse

Jonge Communisten en vond mij spannend: hij had nog nooit een communist uit overtuiging ontmoet.

Ik ging weg bij Joakim en vertrok naar Boedapest voor de rest van mijn leven, dacht ik. Ik zei iedereen gedag, behalve papa, ik was niet opgewassen tegen een pijnlijk afscheid in zijn halletje.

Drie weken later was ik terug in Västerås.

Ik ging literatuurwetenschap studeren en behaalde mijn eerste studiepunten, ontmoette Per en trok bij hem in op zijn studentenkamer in Uppsala voordat ik contact met papa opnam. Ik moest altijd op de bonnefooi bij hem langs omdat hij al jaren geen telefoon meer had.

De flat was gerenoveerd. De keukenkastjes wit en het behang licht. Per en ik zaten met papa in de keuken. Ik gaf hem een geborduurd kleed als kerstcadeau, Hongaarse folklore.

'Ik heb heel even in Boedapest gewoond.'

'Dat heb ik gehoord.'

'Maar ik ben weer terug.'

'Dat heb ik gehoord.'

'Nu woon ik in Uppsala.'

'Iemand zei zoiets.'

Hij stak een sigaret op en vroeg hoe ik het uithield met al die professoren die eruitzagen als Sten Broman en met jusvlekken op hun vest rondliepen.

'Heb je het daar echt naar je zin?'

Hij vroeg niets over Hongarije, maar constateerde dat het onrustig was in Oost-Europa. Een paar dagen eerder was Ceauşescu ten val gebracht. Papa had gemengde gevoelens.

'Die klootzak was niet bereid twee keer hetzelfde pak te dragen. Hij had iedere dag – íédere dág – een nieuw pak. En dat noemt zich communist.'

Maar toch, voegde hij eraan toe, om hem zomaar dood te schieten. Zonder proces. Dat was primitief, ergens. En zonde van de pakken.

Hij wist niet wat hij moest vinden van de val van de Berlijnse muur.

'Wat vind jij, is het goed of slecht wat daar gebeurt?'

Ik wist het niet.

'Wat zegt Julle ervan? Hij zal het toch wel weten?'

Ik haalde gelaten mijn schouders op. Ik wist het niet meer.

PAPA WERD VIJFTIG, en zo te zien ging het goed met hem. Zijn gezicht had weliswaar zware trekken, maar je begreep meteen dat daar een grappenmaker achter schuilging. Ik was blij dat het kind dat ik verwachtte een opa als papa zou krijgen – en een opa als Lasse.

Hij maakte zijn cadeautjes open. Een boek, een paar handschoenen en een zadelwarmer voor zijn fiets. Op een kaart had ik geschreven dat hij tot augustus zou moeten wachten op het allermooiste cadeau. Hij las de kaart en liep de kamer uit.

Ik vond hem in de slaapkamer, waar hij aan de gordijnen stond te plukken. Ik vroeg of hij soms niet blij was dat hij een kleinkind kreeg.

'Als je maar niet ophoudt met waar je in Uppsala mee bezig bent', zei hij terwijl hij in zijn ogen wreef.

'Natuurlijk doe ik dat niet! Maak je maar geen zorgen.'

Ik keek weg en zag een zijden lepelplant op de venster-bank staan. Op een lopertje van wit nylon kant.

Papa had nooit eerder een mening gehad over hoe ik mijn leven moest leven. Soms dacht ik dat het hem niets kon schelen, dat hij te veel met zichzelf bezig was. Hij wilde niet dat iemand zich met zijn leven zou bemoeien, en bemoeide zich daarom ook niet met dat van anderen. En dan verstopt hij zich grienend in de slaapkamer, bang dat ik voortijdig mijn studie zal afbreken. Hij zag in mij alle lijdende vrou-wen uit de geschiedenis die te jong en zonder geld zwanger waren geraakt.

'Het komt allemaal goed, papa.'

Buiten lag het ronde grasperk, bedekt met februari-sneeuw. De straatlantaarns schenen over de speelplaats. Ooit had papa daar een ander kind achternagezeten. De jongen had me gepest en geduwd, ik was huilend naar boven gegaan. Hij had zijn schoenen aangetrokken en de knul, die jankte van angst, naar huis gejaagd. Ik heb me altijd afgevraagd wat er gebeurd zou zijn als papa hem te pakken had gekregen.

We stonden zwijgend voor het raam. Vanuit de woonkamer hoorden we zijn broers en zusters lachen.

De zongebleekte zijden blaadjes van de lepelplant werden blauwgrijs, ernaast stond een vierkante lamp. De buitenkant bestond uit een soort geperforeerd omhulsel van zilverkleurige kunststof, van binnen zat een gestreepte cilinder die ronddraaide als een fruitblender in rood, blauw, geel en roze; een intens schijnsel verspreidde zich over de hele binnenplaats. Toen ik terugkwam van een weekend bij mama had de lamp in het raamkozijn gestaan, en papa had niet willen toegeven dat hij hem zelf had gekocht. Hij beklaagde zich er altijd over dat het ding zo godsgruwelijk lelijk was. Ik vroeg waarom hij hem dan niet weggooide. Hij antwoordde lichtelijk geïrriteerd dat als je nu eenmaal zo'n rotlamp had, het zonde was hem niet neer te zetten. Dat was geen antwoord.

Ik knipte hem aan en de hele slaapkamer draaide rond.

'Het is wel een vreselijk lelijk ding.'

'Waarom heb je hem dan staan?'

'Tja, als ik dat wist.'

Hij had weer geen antwoord. Misschien liet hij de lamp zijn merkwaardige schijnsel verspreiden om iedereen te laten zien waar hij woonde. Dat hij überhaupt bestond.

Ik zette de reiswieg op de keukentafel waaraan ik vroeger postzegels had uitgezocht en overlijdensadvertenties had uitgeknipt. Papa liep naar de tafel om de baby aan te raken, toen bedacht hij ineens dat hij net een sigaret had gerookt. Hij liep naar de gootsteen om zijn handen te wassen. Ik liet niet merken dat ik verbaasd was over dit onverwacht zorgzame gebaar. Vervolgens voelde hij voorzichtig aan het mopsneusje en zei dat het het mooiste meisje was dat hij ooit had gezien. Ik trok haar sokjes uit zodat hij zich kon verbazen over de kleine teentjes die zich uitspreidden in haar slaap.

'Hoe gaat ze heten?'

'Amanda, hadden we gedacht.'

'Amanda? Wat is er mis met Natasja?'

Ik zei dat Natasja een negatieve bijklank had gekregen. Toen ik klein was, was ik de enige die zo heette, maar tegenwoordig was het een gebruikelijke naam in telefoonseksadvertenties.

'Wat klets je nu voor onzin?'

'Zo is het gewoon, die naam is ... zeg maar ... hoerig. Ordinair.'

'Helemaal niet.'

Hij dacht even na en legde toen uit dat zulke namen altijd met een B beginnen.

'Bibi, Babs, Birgitta, Barbara, Babette, Britt ... dat zijn hoerige namen. Brigitte Bardot! Zeg nou zelf!'

Hij bekeek het meisje een poosje met zijn handen in zijn zij, het kind dat onze relatie weer substantie zou geven. Zijn ene mondhoek trok, zoals altijd wanneer hij zich concentreerde. Hij tuitte zijn lippen een beetje en liet ten slotte een tevreden zucht ontsnappen, deed de provisiekast open en pakte een Pripps Blå. De herfstzon scheen door de schone ramen naar binnen, op de vensterbank lagen broodkruimels voor de vogels en eekhoorntjes.

Toen we zouden vertrekken, haalde hij het blauwe tirolerjurkje tevoorschijn dat ik op mijn eerste schoolfoto had gedragen.

'Het is nog een beetje groot. We nemen het een andere keer wel mee.'

Hij antwoordde dat ze er gauw genoeg in zou passen. Want meisjes groeien zo snel. Worden veel te snel groot.

We reden langs Södergården. Opa was over de negentig en al tien jaar weduwnaar. Hij had min of meer kennis aan een vrouw op dezelfde afdeling. Haar postuur en egocentrische, fijnbesnaarde verschijning deden me denken aan een gepensioneerde mezzosopraan. Ze leek in geen enkel opzicht op oma. Opa vond een beetje aanspraak wel gezellig, maar beweerde ook dat hij spijt had – het mens kletste de oren van zijn hoofd.

Hij maakte zich er druk om dat hij Amanda niets kon aanbieden.

'Ik weet niet wat ik het schepseltje moet geven! Ik heb geen aardappelen en vlees. Mag ze een wafeltje? Warme bosbessendrank?'

'Ze krijgt alleen borstvoeding. Wil je haar vasthouden?'

Hij hoorde me niet, wees naar de plank waar de vaas van Metallverken stond. Ik pakte hem en balanceerde met in elke arm een klompje goud, de vaas en Amanda waren even zwaar. Net als vroeger begon hij te praten over die keer bij Metallverken toen iedereen wilde dat de bijl zou vallen, maar alleen hij de steel durfde vast te houden. Hij was te oud om hele verhalen te vertellen en gaf het al gauw op.

'Wat kunnen we het schepsel nou es geven? Ik heb ook geen drop, dat verdraagt mijn maag niet meer.'

Zijn stem was licht, bijna pieperig. Hij wees naar Per.

'Vertel hem eens van die keer dat ik met mijn blote handen twintig snoekbaarzen heb gevangen.'

Hij viel in slaap.

Na een poosje werd hij weer wakker en zei dat hij niet meer had geneukt sinds die keer dat het damestrio Göinge-flickorna in de stad was. Toen was hij zo oud dat hij op zijn handen moest gaan staan om hem overeind te krijgen.

Die had ik nog niet eerder gehoord.

Ik GING ALLEEN met Amanda naar papa toe. Het was jaren geleden dat ik hem bezocht had zonder een man mee te nemen als schild, om te voorkomen dat we het over essentiële dingen zouden hebben.

Hij was net thuis uit zijn werk en zei dat hij de gelukkigste man van de stad was.

'Ik heb er de hele dag naar uitgekeken.'

Ik had hem slechts één keer eerder zo vrolijk gezien, dat was toen hij de hoofdprijs, een transistorradio, had gewonnen in de loterij van Metallverken en hij dat tot vervelens toe had gevierd. Steeds weer vertelde hij dat hij zijn ogen en oren niet kon geloven toen de cijfers op het lot overeenkwamen met het nummer dat door de spelleider werd omgeroepen.

Nu liep hij rond om zijn lampen voor Amanda en het vrouwvolk in de buurt aan te knippen.

Amanda huilde. Ik had amper geslapen sinds ze was geboren. En zij evenmin.

Daar stond ik met mijn ontroostbare dochter op de arm en ik ervoer het thuis van mijn kinderjaren net zo duidelijk als de avonden waarop papa op de bank in slaap was gevallen en alleen wakker werd om tegen mij te zeggen dat ik bij de Eldéns moest aanbellen als hij buiten bewustzijn raakte. Destijds was het afschuwelijk om alleen wakker te zijn in de woning, ik beeldde me in dat er iemand in de hal stond met duistere bedoelingen. Om de angst op afstand te houden ging ik boven op papa's benen zitten met mijn collegeblok, waarin ik toneelstukken en gedichten schreef. Gedetailleerd beschreef ik de kamer met alle snuisterijen, schilderijen en het medaillonbehang in groen, goud en roze. Alles benoemde ik, behalve papa en mijzelf. Af en toe boog ik me naar hem toe om te kijken of hij ademhaalde, bang dat hij onder me doodging. Dat hij zich kapot had gewerkt.

Amanda drensde tegen mijn schouder terwijl ik naar de welbekende prullaria keek. De dolfijn van blauw en wijnrood glas – had hij zo'n brede bek? Het hertogelijk paar van Deens porselein – haar rok bleek geel te zijn, in mijn herinnering was hij pistachegroen. Het schilderij met de elanden en dennen in de lijst van oude sigarenkistjes – nog steeds even afzichtelijk.

In mijn kamer stonden dagboeken die meerdere jaren bestreken, en een stenen trol uit Gränna die ik van Lasse had gekregen. De Mallorcapop, waarmee Helene in een zomer was thuisgekomen en waar ik zo blij mee was geweest. Het Russische kistje. Leeg.

Ik wilde met Amanda op bed gaan liggen, maar iets weerhield me. Ik had het bed niet meer gebruikt sinds die keer dat papa uit zijn huis gezet zou worden.

Op het bureau had hij een paar sandalen klaargezet die we ooit bij Grimaldi hadden gekocht. Maat 28, voor de voeten van een vijfjarige. Hij dacht vast dat ze binnenkort van pas zouden komen.

Hij zette kreeftjes op tafel en floot mee met de radio. Ik begon te huilen. Hij begreep het niet. Ik zei dat ik moe was doordat ik 's nachts niet kon doorslapen, dat Amanda alleen tot rust kwam in de kinderwagen. Dat ik geen kreeft door mijn keel kon krijgen. Hij deed alsof hij me niet hoorde, pakte Amanda en liep met haar rond. In zijn armen was ze niet groter dan een brood van Lundius. Hij probeerde te sussen, kalmeren, troosten.

'Kom maar bij opa! Wij worden makker en maatje, jij en ik.'

Niets hielp.

Ik zei dat ik naar mama wilde. Ze woonde tegenwoordig vlak bij de domkerk, midden in het centrum, en ik wilde er met de bus heen.

Hij keek me aan en haalde toen gelaten zijn schouders op. Zette de kreeft in de koelkast en propte zijn voeten in zijn schoenen. Hij zou met ons meelopen naar de bushalte. Het was vroeg in de winter. Donker en koud.

Papa duwde de wagen met Amanda. Ik zag dat hij verdrietig was. We liepen vlug naar het winkelcentrum van Viksäng, langs de speelplaats en de flat waar oma en opa hadden gewoond, voorbij het bosje waarover mijn klasgenootje Anne-Sofie opgewonden had verteld dat de Zout-en-peperliga zich daar ophield. Gangsters die de polsen van mensen opensneden en zout en peper in de wonden strooiden zodat je doodging. Ik was er niet meer geweest sinds mijn kindertijd.

Er was niets veranderd, alles was alleen veel kleiner dan ik me herinnerde. De laagbouw van de Lillängsschool leek niet veel groter dan drie witte, rechthoekige legostukjes. Ik meende iedere gladde denneboomwortel die uit de grond omhoogkwam te herkennen, en verbaasde me erover dat ze zo spichtig waren. Ik wilde dat ze in mijn herinnering net zo dik als papa's onderarmen zouden blijven.

We hadden deze weg naar de crèche en naschoolse opvang samen ongeveer zesduizend keer gefietst of gelopen. Dit was de laatste keer.

Ik vroeg me af hoeveel hij zich herinnerde van de jaren met mij. Hij sprak nooit over het verleden, alsof alle dagen waren verdwenen in een nevel van alcohol, angst en dagelijkse beslommeringen. Misschien dacht hij dat hij een slechte ouder was geweest, en als híj die jaren vergat, kon ik dat ook. Of misschien herinnerde hij zich net zo veel als ik, maar heel andere dingen, op een andere manier.

Kwam er weleens een mooie herinnering aan mij in hem boven, wanneer of wat dan ook, die hem blij maakte? Had hij ook een serie plaatjes die vertrouwd maar dwangmatig meerdere keren per dag in zijn hoofd oppopten?

Ik wist niets over hem.

'Herinner jij je nog dat je me hier op de rode slee hebt voortgetrokken?' vroeg ik voorzichtig.

Hij zweeg.

'Weet jij nog of we 's ochtends ooit iemand tegenkwamen? Alleen wij twee waren zo vroeg op pad, toch? En was het niet het hele jaar door winter?'

Hij zweeg nog steeds.

'Ik snap niet hoe je het allemaal voor elkaar kreeg, papa!'

Hij versnelde zijn pas, ik kon hem amper bijhouden. Toen begon hij te praten. Snel, bangig, boos bijna.

'Natuurlijk weet ik dat allemaal nog. God, wat was het koud. En donker. Het was een vreselijke klap, dat met Tanja. Ik was er niet op voorbereid, maar ik heb gedaan wat ik kon. En jij was flink. Al schopte je 's nachts verschrikkelijk. Ik kreeg nooit rust.'

Hij staarde nog steeds voor zich uit, wilde mijn blik niet ontmoeten.

Zo dicht waren we nog nooit bij het belangrijke, verboden gesprek geweest. Nooit had ik hem een onvertogen woord over mama horen zeggen, en dat deed hij nu ook niet. Daar had hij geen reden voor, ook al moest hij in zijn eentje die grote verantwoordelijkheid voor mij op zich nemen.

Het leek alsof hij zich wilde verontschuldigen voor alles wat hij me niet had kunnen geven. En voor alles wat ik wel had meegekregen.

Mijn kinderjaren waren inderdaad anders, maar dat kwam niet alleen door hem. Ik had hoe dan ook met niemand willen ruilen. Hoe kon ik dat uitleggen zonder dat het klonk alsof ik mezelf probeerde te overtuigen?

Hij gaf me een opening voor het cruciale gesprek.

Ik liet de kans liggen.

Zwijgend liepen we verder.

De bus liet op zich wachten. Hij keek in de wagen om te zien of Amanda ademde. Stopte haar in en keek nog een keer. Zette haar mutsje recht. Stopte haar in.

Over politiek praten was makkelijker. De populistische partij Ny demokrati was net in het parlement gekomen en steunde de regering van premier Carl Bildt. Wat een oplichters! zei papa. Ze waren totaal niet zoals Fälldin en Mundebo en hoe ze ook allemaal heetten in zijn tijd. Dit was veel erger.

'Zo'n conservatieve klotevierpartijencoalitie. Stel je eens voor! Alles gaat regelrecht naar de verdoemenis!'

Hij haalde zijn portefeuille tevoorschijn en gaf me vier briefjes van honderd kronen. Het was voor het eerst dat ik geld van hem kreeg. En ik had het hard nodig.

'Meer lall heb ik even niet, ik heb gisteren telefoon genomen en dat was verrekte duur.'

Het was negen jaar geleden dat hij telefoon had, het nummer werd tijdens het wk-voetbal in 1982 afgesloten.

'Het leek me leuk af en toe met het meiske te praten. En met jou, natuurlijk.'

Vanaf nu was Amanda de kleine meid. Ik heette Åsa.

Hij hielp me de wagen in de bus te tillen.

'Ik hou van je', zei ik en ik voelde me ongemakkelijk door die ongebruikelijke woorden.

'En ik van jou', zei hij verlegen en hij wees met zijn vinger van zijn borstkas naar mij.

Zacht sissend ging de deur van de bus dicht.

'Dag!'

'Dag.'

Precies op het moment dat ik bij mama binnenstapte, ging de telefoon. Lasse nam op en gaf mij de hoorn. Het was papa. Hij wilde zijn telefoonnummer doorgeven. Ik schreef de zes cijfers op.

'En ik wou nog zeggen dat zo'n meiske sneller groeit dan je beseft als je 's nachts wakker ligt.'

Hij vroeg me mama de groeten te doen. De groeten aan iedereen.

HET WAREN BARRE tijden, zei papa. Bij Metallverken zou nog een afdeling worden opgeheven.

'Nog een geluk dat ik harder ben, want daar is altijd werk voor. Ik heb het vreselijk druk. Voor die jonge gasten is het veel erger, daar moeten er veel van vertrekken.'

Hij leerde het woord fuseren. Asea was samengegaan met het Zwitserse Brown Boveri en heette nu ABB. Het aantal Aseawerknemers werd drastisch verminderd, de beurskoersen stegen navenant. In de kranten werd Percy Barnevik geprezen als een doodnormale, bescheiden man. Het enige verschil was dat hij veel meer werkte dan alle anderen. Papa liet zich niet overtuigen. Hij wist dat de ABB-baas in Villa Asea woonde. Daar aten ze runderfilet en Zweedse kreeft. Iedere dag. De hakenkruistafel stond ook nog steeds in de Aseatoren. En wie werkte er verdomme niet?

Hij belde op om te vertellen dat Metallverken van eigenaar zou veranderen. Alles was voor één kroon verkocht.

'Godallemachtig! Eén kroon, maar daarmee nemen ze ook alle schulden over, zo gaat dat. Het zijn twee broers uit Fagersta, twee verdomd goeie kerels heb ik gehoord.'

Zijn werkplek heette niet langer Metallverken of Gränges Essem, maar Outokumpu Copper.

Hij belde en murmelde nerveus dat hij misschien zijn baan zou kwijtraken. Ik zei dat hij geen reden had zich zorgen te maken, hij had er immers zijn hele leven gewerkt? Het sprak voor zich dat ze hem moesten herplaatsen.

'Natuurlijk raak je niet werkloos!'

Hij antwoordde dat ze daar geen rekening meer mee hielden. Het waren andere tijden, niet meer zoals vroeger.

Angst kneep zijn keel dicht. Hij zei nooit iets over de mogelijkheid dat hij mocht blijven als hij een ontwenningskuur zou ondergaan.

Ik weet niet of hij veel aan me had tijdens die gesprekken, ik voelde me bijna net zo rot als papa. Dat hij niet meer iedere ochtend de fiets naar Metallverken nam, was een onmogelijke gedachte. Heel zijn identiteit en trots lagen in het staal en de ovens. Nu zou hij geen meester-harder, of zelfs metaalarbeider meer zijn. Wie was hij dan? Zonder werk zou hij wegkwijnen.

Ik zag hem voor me tussen de losers in Smedjegatan, zijn ene been over het andere gekruist, rug licht gebogen, zijn armen rustend op zijn knieën en in zijn ene hand een zakflacon. Schone kleren van de een of andere hulporganisatie. Aardig en agressief. Iemand die niet welkom is in de biertent als er een muziekfestival in de stad is. Die niet weet of hij het zal overleven als het een koude winter wordt, die wegkijkt als hij een oude bekende ziet.

Papa begon in 1955 als veertienjarige op de bedrijfsschool van Metallverken. Op 15 juli 1992 klokte hij voor de laatste keer uit. Hij was toen eenenvijftig jaar.

Ik weet niet hoe hij zich voelde toen zijn fiets de heuvel af reed naar wat binnen enkele uren zijn voormalige werkkring zou zijn. Of hij wankelde op zijn benen terwijl hij handen schudde en erkentelijkheid verwachtte. Ik weet niet hoe de toespraken klonken. Of het een chef van het middenkader was die zoiets zei als: Leffe, ik was nog niet eens geboren toen jij voor de eerste keer de fabriek hier binnenstapte, maar ik heb je leren kennen als iemand die altijd imponeerde met zijn vakbekwaamheid ...

Misschien zeiden ze alleen maar tot kijk. Tot kijk, Leffe! Het beste! Vergeet niet je overjas in de wasmand te gooien. En o ja, de sleutel van je locker!

Hoe was het om bedankt en dag te zeggen tegen alle collega's, tegen degenen die mochten blijven en tegen degenen die samen met hem moesten vertrekken? Bleven ze contact houden? Had hij tot het allerlaatst gewerkt of had hij de kantjes ervan afgelopen? En wat zei hij tegen het leuke meisje dat het materiaal beheerde – van wie hij dacht dat ze wel een beetje in hem geïnteresseerd was – toen hij voor de laatste keer zijn gereedschap terugbracht?

Die vragen kwelden me. Ik had antwoord kunnen krijgen als ik had kunnen, durven luisteren wanneer hij me 's avonds belde. Hij praatte lang en ik deed al het mogelijke om niet te horen wat hij zei. Ik telde hoeveel Månpockets ik had waarvan de naam van de schrijver met een A begon, telde de frequenties van de FM-band bij elkaar op, kalkte de O's van alle Olssons in het telefoonboek dicht.

Hij kwam niet uit zijn woorden, zuchtte. Begon steeds weer van voren af aan.

'De beste jaren van mijn leven heb ik ze gegeven', hoorde ik hem ten slotte zeggen.

Ik trok een dikke streep met mijn vulpen. Pathetischer had hij zich niet kunnen uitdrukken.

'Godnogantoe, mijn beste jaren heb ik ze gegeven!' zei hij nog een keer, en nu klonk hij zelf verbaasd.

Hij hing op.

Ik liet Amanda het telefoonboek aan flarden scheuren terwijl ik voor mezelf een beetje Moskovskaya in een glas schonk. We waren zoals gewoonlijk alleen thuis. Ik slikte de drank door, zonder een gezicht te trekken zoals papa altijd deed, en schaamde me als een hond over het feit dat ik kwaad op hem was dat hij zonder werk was komen te zitten, dat hij had afgedaan. Hij had het niet beter kunnen zeggen. Zijn beste jaren had hij hun gegeven. Zevenendertig jaar van ontelbare zweetdruppels waren een onverzadigbare muil in gestroomd.

DE AFVLOEIPREMIE BEDROEG vijfenzestigduizend kerooonen, en papa trakteerde op kaas.

Ik vroeg wat hij overdag deed.

'Wat ik doe? Wat denk je dat ik doe? Werk zoeken, natuurlijk. Niet dat het helpt.'

En hij poetste. Fietste. Las een beetje, op zaterdag verkocht een vent op de markt boeken voor twintig kronen. Eén
keer in de week speelde hij wedstrijdbridge met een oud-
collega. Hij verlangde niet terug naar Metallverken, maar de
dagen waren lang. Aan de andere kant ging de tijd zo snel
dat het gevaar bestond dat hij zijn ww-uitkering kwijtraakte.
Toen hij werk had, verlangde hij naar uitklokken. Nu was hij
bang nooit meer te mogen inklokken. Het leven, zei hij, was
het lastigste wat hij ooit had meegemaakt.

Er was nergens werk te krijgen. De werkplaatsen in het centrum waren ontruimd en verlaten.

Als kind vroeg ik me af wat er zich achter de enorme
poorten van de Mimerfabriek afspeelde. Hoe het eruitzag
en wat iedereen daar de hele dag deed, en zelfs 's nachts. Als
je langsfietste hoorde je gehamer en geklop en het geluid
van machines, maar de enige mensen die je zag waren de
bewakers buiten. De smerige ramen gingen nooit open. Ik
wist dat oom Guido er werkte, maar hoe hij het ook uitlegde,
ik heb nooit begrepen wat hij precies deed. Vanaf 1947 tot
hij veertig jaar later een hersenbloeding kreeg, heeft hij daar
op de werkvloer gestaan.

Straks wist niemand meer dat de bakstenen gebouwen
ooit werkplaatsen en fabrieken waren. Het is langgeleden
dat de Aseastroom door het centrum trok en het etmaal in
stukken deelde.

Papa zei dat het voelde alsof hij botkanker had. Västerås, dat nog niet zo lang geleden op een uit zijn krachten gegroeide industriestad had geleken, was veranderd in een kantorencentrum voor dienstverlening waar hij zich steeds meer een buitenstaander voelde.

De Konsumbakkerij lag erbij als een spookruïne, kapot en beklad; de melkfabriek naast de stadsbibliotheek was gesloten. Het Folkets Park heette nu Arospark en was een woonwijk geworden. In de grootste binnenhaven van Noord-Europa werden appartementen gebouwd voor de nieuwe middenklasse. Het café waar je 's ochtends vroeg een biertje kon krijgen als je het juiste jargon kende, was verdwenen. Door een abrikooskleurig complex van de belastingdienst in het hart van de haven werd het hele Mälarmeer aan het oog onttrokken.

Het ergst van alles, zei hij, was dat ze het huis in Funkisgatan hadden gesloopt om plaats te maken voor een gebouw dat eruitzag als een Spaans appartementenhotel. Hij miste het eigenaardige bouwsel, de mensen, het eten dat ze hadden gekookt en de strijd die ze hadden gestreden.

Naast de oude Mimerfabriek lag Skrapan, een hotel met winkelpassage, dat in het luchtruim concurreerde met alle torens van de stad. Het ziet er echt verschrikkelijk uit, zei hij, en hij beweerde de bioscopen Odeon, Grand en Saga te missen die daar ooit hadden gestaan. Weliswaar was hij er niet meer geweest sinds hij verkering had met mama – de film die ze hadden gezien was zo slecht dat hij had besloten nooit meer naar de bioscoop te gaan – maar hij miste toch de zalen met versleten rood corduroy die Deense seksfilms en Zweedse comedy's hadden vertoond.

Waar het eerder naar smeerolie rook, hing nu de weeïge geur van Amerikaanse panpizza's. In plaats van gehamer en geklop hoorde je nu het persluchtgeluid van stomende espressoapparaten, het enige wat nog herinnerde aan de Italiaanse kolonie in de stad – de Italianen zelf hadden de horeca allang vaarwel gezegd. Hij vroeg wat caffè latte voor iets was.

'Koffie met warme melk.'

'Koffie met melk? Anders niet?'

'Het wordt geserveerd in grote glazen. En de melk is warm.'

'Koffie met warme melk, dus. In een glas.'

Hij zei dat de hele stad vol zooi was die ze kebab noemden. Knolraappuree met varkensschenkel werd sinds de glorietijd van crimineel Tumba-Tarzan in de jaren vijftig al niet meer geserveerd, maar tegenwoordig kon je zelfs geen fatsoenlijke frikadel meer krijgen. Er viel geen snackbar meer te bekennen.

Västerås scheen de stad te zijn waar de meeste jeans, schoenen en Big Macs per inwoner werden verkocht. Waar kwam dat geld vandaan?

'Wat is er eigenlijk aan de hand? Kun jij me dat uitleggen? Wat gebeurt er goddomme?'

Hij was bereid iedere baan aan te pakken, behalve blaadjes harken in het Vasapark. Hij wilde niet in slecht gezelschap belanden. Bovendien was het pijnlijk om in het openbaar te tonen in wat voor situatie je verzeild was geraakt. Thuiszitten zonder werk was één ding, maar voor het Konstmuseum staan met een hark in je handen en tegen iedere bekende die langsliep hé hoi hallo zeggen was iets heel anders.

Zozo, werk je hier tegenwoordig?

Ja, daar ziet het wel naar uit, hè.

Na een jaar moest hij een paar maanden bos kappen voordat hij weer moest stempelen. Toen was het iemand anders' beurt in het bos. Hij raakte gefrustreerd. Het was te saai om thuis te zitten. Vernederend.

Hoe dichter de datum naderde dat zijn ww-uitkering zou ophouden, des te merkwaardiger verhalen hij begon op te hangen over het arbeidsbureau. Als hij niet zo veel respect had gehad voor mama, had hij zijn toevlucht genomen tot opa's sterke verhalen. Zij was opgeklommen tot hoofd van het arbeidsbureau, en ze begreep dat de computers bij de ingang al weerstand bij papa opriepen. Hij begreep dat het gebrek aan banen niet haar fout was, maar snapte maar niet waarom hij een cursus Italiaans kreeg aangeboden. Hij zei dat een consulent een gedicht had voorgelezen in plaats van over werk te praten.

Via mama wist ik dat zijn consulent zeer met hem begaan was, papa werd gewaardeerd vanwege zijn bescheidenheid. Het deed er niet toe of het waar was wat hij vertelde, de anekdotes over het arbeidsbureau waren zijn manier om de vernedering het hoofd te bieden.

Ik begon aan een proefschrift geschiedenis waarin ik de Zweedse zienswijze op de arbeidersklasse onderzocht: hoe kan het dat Zweden aan de ene kant de grootste arbeidersbeweging ter wereld heeft, en aan de andere kant het idee heeft dat er in het land geen arbeidersklasse bestaat?

Papa keek me aan.

'Wát zeg je? Zijn er geen arbeiders?'

'Ja, ik bedoel dat er mensen zijn die denken dat er in Zweden geen arbeidersklasse meer bestaat. Dat iedereen tegenwoordig een Volvo en een villa heeft. Je weet wel.'

'Nee, daar weet ik niets van. Wie zegt dat?'

'Dat herken je toch wel? Je kunt tegenwoordig overal lezen dat de arbeidersklasse is uitgestorven, dat we niet langer in een geïndustrialiseerde samenleving leven en dat ... ja maar, zulke dingen heb je toch weleens gehoord?'

'Nee, om de dooie dood niet! Van alle onzin die een mens moet aanhoren, is dit wel het toppunt.'

Hij stond zo vlug op dat zijn stoel omviel en zei dat hij blij was dat hij niet geabonneerd was op *Dagens Nyheter* – hij had geen zin om iedere ochtend in het hoofdartikel zijn eigen overlijdensadvertentie te lezen.

Hij haalde zijn hand door zijn haar. Batterijzuur stroomde door zijn aderen. Hij stak een sigaret op, peuterde met moeite het cellofaan van de doos chocola die we hadden meegebracht en zette hem demonstratief op tafel.

'En hoe verklaren ze dan dat deze bonbons op de juiste plek in de doos zijn terechtgekomen?'

Hij zei dat hij net een programma op tv had gezien over een paar vrouwen die panty's naaiden in een fabriek in Skåne, hun loon bestond uit een kromme rug en pijnlijke schouders; als ze thuiskwamen konden ze amper nog een aardappelschilmesje in hun handen houden. Hij kende iemand wiens zoon bij McDonald's werkte. De knul bakte hamburgers die hij vervolgens met mosterd en ketchup tussen een broodje stopte, honderden stuks per uur – dat was puur lopendebandwerk, net zoals het in elkaar zetten van mobiele telefoons bij Ericsson. Hij had oude besjes in Portugal gezien die met de hand opgerolde stukjes paprika in olijven voor de export stopten en daarvoor slechts een paar kronen per kilo kregen. Ze woonden in krotjes. Was dat soms allemaal bij elkaar verzonnen? Communistische propaganda?

Later veranderde ik van onderwerp en bestudeerde de identiteit, persoonlijkheidscultus en autoritaire tradities van de sociaal-democratie. Daar schrok hij van en hij probeerde me duidelijk te maken dat ik geregistreerd zou worden bij de veiligheidspolitie en nooit een baan zou krijgen.
'Dat kan alleen maar slecht aflopen, dat begrijp je toch wel?'
Waarom schreef ik niet over de emigratie naar Amerika? Of over die vervloekte Gustav Vasa?
'Denk toch aan het meiske!'

Ik was het eerste kleinkind van vaderszijde dat aan de universiteit studeerde en opa straalde toen hij hoorde dat ik geschiedenis deed. Hakkelend vertelde hij dat hij als negenjarige een pak slaag van de onderwijzer had gekregen omdat hij had gezegd dat het goed was dat Karel XII was vermoord, zodat er eindelijk een einde kwam aan het bloedbad. De onderwijzer had opa zo'n oplawaai verkocht dat hij tegen het bankje naast hem was geknald, en tien dagen doof was geweest aan zijn rechteroor. Opa had het verhaal weleens beter verteld, het was langgeleden dat de Von Münchhausen uit Skiljebo in vorm was. Toch was ik blij het verhaal te horen. Het behoorde tot zijn favorieten, en misschien was het nog waar ook.

Opa was vermoeid en warrig in zijn hoofd, veel mensen verdrongen zich rond de tafel om hem te feliciteren met zijn vijfennegentigste verjaardag. Het duurde even voordat hij begreep dat Amanda, die in de herfst drie werd, mijn dochter was en zodoende het kleinkind van Leif.

'Dat heb je goed gedaan', zei hij even later tegen papa. 'Dat heb je echt prima gedaan, zal ik je zeggen.'

Tante Görel was – net als alle ooms en tantes van papa's kant – altijd aardig tegen me, maar ze had de behoefte om haar zelfstandigheid naar haar familie toe te markeren. Ze richtte zich tot Amanda, die bij mij op schoot zat. Ze hadden elkaar nooit eerder ontmoet.

'Je opa is niet goed snik', zei ze en ze glimlachte naar Amanda.

Amanda keek haar aan en vervolgens naar mij. Ze begreep het niet.

'Je opa is niet goed snik. Wat jij?'

Ze verwachtte zeker dat Amanda zou lachen – dat we allemaal zouden lachen – maar Amanda drukte verlegen haar hoofd tegen mijn borst. Toen eiste opa haar aandacht op. Met een krachteloze arm wees hij naar papa.

'Die daar, die kan me werken.'

Amanda begreep er weer niets van. Görel interrumpeerde.

'Leffe is werkloos, dat weet je best, pa!'

'Hoor je niet wat ik zeg? Leffe, die kan me werken!'

'Ach, Leffe is al zo lang werkloos. Niet soms, Leffe?'

Papa's mondhoek trok. Hij zei niets. Ik ook niet. Het gesprek was te absurd om op te reageren. Zelfs opa was in de war. Hij greep Amanda's bloesje vast.

'Luister maar niet naar ze. Leffe is sterk als staal.'

Ik keek naar papa, die eindelijk, onverwacht een soort erkenning van zijn vader kreeg, maar hij keek vooral bedrukt. Vroeg zich af waarom ze het altijd over hem moesten hebben.

Opa sloeg met de rug van zijn ene hand in de handpalm van zijn andere en lachte zijn hele kunstgebit bloot.

'En ik ben Staalopa Karl! Ik heb dit hele zooitje hier rondgefietst. Neem dat maar van mij aan, meiske!'

Hij zweeg en viel doodmoe buiten het gesprek, dat aarzelend doorging over andere dingen.

De deur ging open en een klasgenootje van de basisschool kwam binnen. Ze werkte hier. Heel kort waren we vriendinnetjes geweest, haar eerste kreeft had ze op een warme doordeweekse augustusavond bij ons op het balkon gegeten. Daarna hadden we ruzie gekregen. Nu kwam Kamilla om opa op het toilet te zetten. Zijn broek uit te trekken, zijn billen af te vegen.

Mijn opa. Ik had hem nog nooit bloot gezien. Zij zag hem iedere dag zo, het was haar werk.

Als ik hem in Södergården opzocht, beroerde ik alleen zijn droge, wasgele perkamenten huid met een vlugge kus op zijn wang. Hij, die zich ooit over ons had ontfermd met snoekbaars, kaartspelletjes en wensdromen over de revolutie in Nef Jork. Die in onze slaapkamer had zitten wachten tot de werkdag van papa zou aanbreken. Wakker worden, Leffe! Wakker worden, meiske! Wakker worden! Nu zat hij zelf te slapen terwijl wij rammelden met de koffiekopjes. Niemand had zin om hem wakker te maken.

Mijn lichaam protesteerde, boordevol schaamte en bewondering, toen Kamilla opa met behendige, zachte hand meevoerde naar het toilet en de deur op slot deed.

Het overlijdensbericht een paar jaar later kwam als een verrassing. Ik had het idee dat opa Kalle onsterfelijk was en dat had hij zelf vast ook lang gedacht – hij placht altijd te zeggen dat hij niet meer ziek was geweest sinds hij in 1918 de Spaanse griep te boven was gekomen.

Papa kwam naar begraafplaats Hovdestalund in een licht-bruine latex jas, waarvan hij hoopte dat wij het voor leer zou-den houden, met loshangende ceintuur. De jas kwam van de kringloopwinkel, evenals zijn schoenen. Hij maakte een beheerste indruk en leek niet al te verdrietig. Opa was zo lang oud geweest, en papa verheugde zich op de erfenis van een paar duizend kronen. Het geld kwam goed van pas.

De gepensioneerde geestelijke sprak over het leven als een soort geluidsgolven die je op de radio kon horen. Hij repte met geen woord over opa. Papa was kwaad toen hij buiten de kapel stond te hannesen met een nieuw pakje sigaretten. Hij vouwde zijn handen rond het vlammetje tegen de wind. Dat deed hij altijd, ongeacht of hij binnen- of buitenshuis was.

'Wat een klotedominee, die gasten zijn echt vreselijk!'

Hij was verontwaardigd, maar dacht eraan zijn tandelo-ze mond te bedekken. Hij was net vijftig toen hij zijn twee bovenvoortanden verloor. Kort daarna volgden de andere, waardoor zijn mond er beter uitzag. In zijn onderkaak had hij zijn tanden en kiezen nog.

Ik vond het verschrikkelijk, de eerste keer dat ik hem zon-der voortanden zag. Er was een lelijk vierkant gat ontstaan, als de ingooiklep van een afvalcontainer. Het herinnerde me aan alle ruzies die ik als kind met hem over tanden had gehad.

Papa beweerde dat iedereen drie keer tanden kreeg: eerst

krijg je melktanden, als je die kwijtraakt krijg je nieuwe tanden en daarna krijg je nog een serie.

'Je bedoelt een kunstgebit?'

'Nee, echte. Je krijgt echte nieuwe tanden.'

'Je bedoelt nieuwe tanden bij de tandarts?'

'Nee, in je mond. Er groeien nieuwe.'

'Je bedoelt geen kunstgebit, zoals oma en opa hebben?'

'Nee, dat komt later pas, als je je andere tanden kwijt bent.'

'Welke andere tanden?'

'Die je krijgt als je de tweede serie kwijt bent. Iedereen krijgt drie keer bijters. Leren jullie dan helemaal niks op school?'

'Drie keer als je een kunstgebit meetelt, ja, maar echte tanden krijg je maar twee keer. Melktanden in het eerste jaar en als je zes, zeven bent wissel je en krijg je nieuwe. Daarna niet meer.'

'Wel waar, daarna krijg je nog een keer nieuwe blinkers.'

'Dus jij denkt dat er nog een keer nieuwe doorkomen als je deze tanden kwijtraakt?'

'Wedden?'

Hij ging nooit naar de tandarts, maar vertelde levendig over mevrouw Skomba uit zijn jeugd. Eén keer boorde ze dwars door de wang van een vriendje van hem.

'Je begrijpt wel wat voor dolleman dat was.'

Toen papa zijn tanden kwijtraakte, begreep hij eindelijk dat er niet nog een nieuwe serie kwam. Ik zei niets over zijn mond, maar had last van pijnlijke visioenen: hoe hij een tand uittrok waarvan hij al lang voelde dat hij onrustbarend los zat. Wat deed hij vervolgens? Keek hij ernaar? En wat vond hij van zijn eigen spiegelbeeld? Of was hij op zijn werk en stopte hij vlug en beschaamd de tand in zijn zak? Gooide hij hem in de oven terwijl zijn tong constant naar het nieuwe gat werd getrokken?

Hij was zijn bovenlip gaan uitrekken, zodat deze geleidelijk wat langer zou worden en volkomen natuurlijk de tandeloze beet zou verbergen. Vroeger had een trekkende mondhoek concentratie verraden, nu was het zijn bovenlip die werkte. Alleen als hij met Amanda speelde, vergat hij zichzelf. Normaal gesproken grinnikte hij, maar zij liet hem luidkeels lachen. Dan zag je hoe het glanzende tandvlees zich strak om zijn kaakbeen sloot.

Na de begrafenis was er koffie in de watertoren met uitzicht over heel Västerås. Als er iemand overleed of er iets groots te vieren viel, kwamen we bijeen in het halfronde restaurant. Hier hadden oma en opa iedereen op een overvloedig lopend buffet getrakteerd toen ze zestig jaar getrouwd waren. Opa had alleen aardappelen met jus gegeten. Het was inmiddels langgeleden.

Papa en ik zaten aan dezelfde tafel, samen met een man die naast papa in Björkgatan had gewoond. Hij was een paar jaar jonger en vertelde aan mij hoe alle kinderen uit de buurt altijd naar het voetbalveld gingen om papa te zien spelen. Dat ze net zo goed wilden worden als de jongste knul van Kalle Andersson. De Nacka Skoglund van Skiljebo.

'Ach,' zei papa, 'een goeie voetballer ben ik nooit geweest. Met mij is het eigenlijk nooit echt wat geworden.'

Oma Vera en opa Julle zaten ook bij ons aan tafel. Papa had hen jaren niet gezien, en ik merkte dat het hem goeddeed om in hun gezelschap over belangrijke dingen te praten.

'Ze slaan elkaar daar in dat Joegoslavië allemaal de kop in. Kunnen jullie me vertellen waar dat goed voor is?' vroeg papa.

Opa Julle betreurde dat hij het antwoord schuldig moest blijven.

Ze roerden langzaam in hun koffiekopjes. Papa's rechterhand was groot en gekromd, zijn duimnagel blauwzwart. Aan opa's goedverzorgde linkerhand prijkte sinds enkele jaren een doctorsring; hij was beloond met een eredoctoraat voor zijn inspanningen als volksontwikkelaar. Papa opende zijn vuist, draaide zijn hand om en drukte voorzichtig zijn handpalm naar het witte tafelkleed, zoals hij iedere avond voor de tv placht te doen in een poging zijn vingers soepeler te maken. Opa Julle – midden in een uiteenzetting over *De Rode Kamer* – deed precies hetzelfde, zijn vingers spreidden zich als zonnestralen aan de hemel. Bijna raakten hun pinken elkaar. Geen van beiden leek iets te merken. Het betekende misschien niets, maar het voelde als een onbewust gebaar van verstandhouding en genegenheid, die laatste keer dat ze elkaar ontmoetten.

Papa's broer Olle hield me staande toen ik op het punt stond te vertrekken. Hij zei dat ik tegen mama – die voor de linkse Vänsterparti in het parlement zat – moest zeggen dat hij het over alles met haar eens was, behalve over immigratie. Papa werd nerveus. Hij wist hoe ik erover dacht en hij wist ook dat ik niet meer dat toegeeflijke kleine meisje was dat de volwassenen liet praten – al helemaal niet in dit soort kwesties. Er was een tijd dat ik het met iedereen eens was. Maar dat was niet langer zo.

Toen ik klein was, zei papa dat ze alle Finnen eruit moesten gooien.

'Kekkonen, die weet wel wat-ie doet, die stuurt alle rotte eieren hierheen en houdt zelf de goede.'

Dat had hij gehoord van een Finse collega, een verdomd goeie vent, dus het moest wel waar zijn. Waarom zijn Finnen niet als zwarten? vroeg hij zich af.

Volgens papa was het zwarte ras zowel in moreel opzicht als qua intelligentie superieur. De enige uitzondering was Muhammad Ali – natuurlijk had hij in veel opzichten gelijk, maar waarom schreeuwde die kerel zo verschrikkelijk? Als iedereen zwart was, zou de wereld een stuk mooier worden. Het zou toch veel leuker zijn als Ola Ullsten eruitzag als Harry Belafonte, Östen Warnerbring zong als Louis Armstrong en Björn Borg zich gedroeg als Arthur Ashe?

En waarom kon Arafat niet wat meer op Martin Luther King lijken? Maar wat hielp dat zolang Israël Moshe Dayan, Menachem Begin en Per Ahlmark had?

Op de hoek van Dagsvärmargatan en Årbylundsgatan in Skiljebo zat in de vroege jaren zeventig Harry Levins, een buurtwinkel genoemd naar de eigenaar. Daar kon je fantastische filmtijdschriften van Walt Disney kopen over Sneeuwwitje, Assepoester en Doornroosje. Papa vond Harry Levins te duur en zijn verklaring was dat de eigenaar een Jood was. Alle andere winkels waren ook verrekte duur, maar dat was de schuld van de regering, de burgerklasse en die kloteboeren. Opa Kalle werd kwaad. Het was onzin zulke dingen te zeggen. Helemaal van de zotte.

'Als Hitler de oorlog had gewonnen, hadden we hier in de straat helemaal geen winkel gehad!'

'Wat heeft Hitler er in jezusnaam mee te maken? Ik weet toch wat het eten daar kost en in andere winkels!'

Oma antwoordde dat Harry Levins het beste doorregen spek had. Dat het allemaal goed volk was daar, fatsoenlijk. Toen de winkel later noodgedwongen moest sluiten, beklaagde papa zich erover dat er geen markt meer was voor kleine, gezellige winkels met een eigen assortiment tegen redelijke prijzen. Dat het zielig was voor die aardige, oude man.

Een poosje dacht hij dat Ingmar Bergman een Jood was – hoe kon je anders verklaren dat zijn films overal zo bejubeld werden? Toen hem later ter ore kwam dat Bergman als jongeman met Hitler had gedweept, vielen alle stukjes op hun plaats: dat had hij altijd al vermoed – die mafkees was een nazi!

Papa verafschuwde Duitsers omdat ze zo Duits waren. Een Duitse voetballer bewonderen was onmogelijk. Gerd Müller, Franz Beckenbauer, Uli Höness ... ze doen niks met die knikker wat een ander nog niet heeft gedaan. Nee nee, er is maar één Garrincha.

Hij vertelde me dat de Duitsers tien miljoen Joden hadden uitgeroeid. Toen ik ouder was en meende dat het getal zes miljoen was, werd hij argwanend.

'Je bent toch geen nazi geworden? Ben je nu op de een of andere manier rechts?'

Tegelijkertijd bewonderde hij Karl Marx, die zowel Duitser als Jood was. En ondertussen droomde hij van een wereld zonder rassengrenzen en nationaliteiten, waar iedereen – zwarten, blanken, Joden, Finnen, Russen, volk uit Skåne en Amerikanen – zich met elkaar vermengde, samenwerkte, elkaar respecteerde.

Als klein meisje was ik het in alles met hem eens. Toen ik groter werd, vond ik het lastig om orde te scheppen in zijn vooroordelen.

In de jaren zeventig had papa het over de Finnen. In de jaren negentig over de immigranten. Die waren absoluut niet zoals de Finnen, die weliswaar onbehouwen waren, maar niet aarzelden het zwaarste werk aan te pakken.

Toen Ny demokrati in het parlement was gekozen, vervloekte papa het algemeen kiesrecht – mensen die op die fascistoïde kleinburgers stemden, moesten ze castreren. Sommige punten uit de boodschap van Ny demokrati maakten een zachte landing. Ik zei dat de meeste mensen die hierheen komen zijn gevlucht voor onderdrukking en armoede. Hij schudde zijn hoofd.

'Om de dooie dood niet. Dat was vroeger misschien, maar nu niet meer. De goeien blijven daar, het gespuis komt hierheen.'

In de verstrengelde familie van vaders- en moederskant kwam je van alles tegen: het veelbesproken Waalse bloed, Russische voorouders, Italianen, een Serviër, een Palestijn, een Finland-Zweedse, een Engelsman. Weliswaar kwamen alleen de Russische en Italiaanse elementen duidelijk naar voren, maar papa begreep maar niet wat ik bedoelde als ik zei dat het in onze familie stikte van de mensen met hun wortels in een ander land dan Zweden. Maar hij had het natuurlijk niet over hen. Hij had het over die anderen.

Nu stond hij tussen mij en zijn broer te trappelen met zijn voeten. Hij trok zijn bovenlip naar beneden en liet zijn handen in en uit zijn broekzak glijden. Hij wilde weg, maar het gesprek was niet onaangenaam. Olle had iets op tv gezien, in de krant gelezen en horen vertellen over een immigrantengezin in Vallby dat van de sociale dienst een buitenlandse vakantie, een tv en zes fietsen had gekregen, terwijl het gezin zwart werkte, een ww-uitkering, bijstand en ziekengeld ontving. Olle en ik kletsten een beetje heen en weer, maar papa was toch bang dat ik mezelf voor schut zou zetten. Voor mij was het makkelijk om te zeggen dat immigranten welkom waren, ik had een baan.

'Ik weet dat je gelijk hebt', zei hij toen we de lift naar beneden namen. 'Maar toch, weet je, tja ... je weet wel? En alles wat je denkt, hoef je nog niet te zeggen. De mensen snappen het toch niet. Begrijp je?'

Toen ik bij Per wegging, was Amanda even oud als ik toen mama ons in de steek liet. Papa was verdrietig en vroeg hoe het nu verder moest.

'En het meiske dan?' zei hij steeds weer.

Ik stelde hem gerust door te zeggen dat ik niet van plan was de vierde generatie in rechte lijn van Jaroslavl tot Uppsala te worden die de vader de hoofdverantwoordelijkheid liet dragen voor hun kinderen. Hun dochters.

Een paar jaar later leerde ik Anders kennen, en papa zou nogmaals opa worden.

'Te gek, Åsa! Maar daarna moet je de boel dicht laten naaien.'

Veel kinderen krijgen was verdacht, alleen streng gelovigen kregen meer dan twee kinderen.

Papa zag Maxim voor het eerst bij Majken en Alexej thuis in de dagen voor Kerst. Het werd een van onze fijnste momenten samen. Majken overlaadde ons met cake, penceegebakjes, banketstaaf, koekjes, kandij en taart. Papa bracht een paar uur met zijn kleinzoon door en voelde zich heel even rijk. Aaide hem over zijn hoofd, rook aan zijn kruin, kneep zachtjes in zijn voeten. Allebei lachten ze breed en tandeloos als een handje zich sloot om wat ooit de ruwe duim van een meester-harder was.

Niemand had haast.

'Macke, weet je, jij en ik, wij worden makker en maatje. Net als Amanda en ik. En die gekke moeder van je en ik.'

Ze zouden niet de tijd krijgen elkaar goed te leren kennen.

Hij gaf Amanda een zak sleutelhangers, hij wist dat ze die spaarde. Verjaardagen vergat hij altijd, maar hij belde regelmatig om te vragen hoe het ging met voetballen. Als ze elkaar ontmoetten, keek hij net zo naar haar als hij naar mij keek toen ik klein was.

'Wat vertel je me nou, poppetje?'

Hij liep mee naar de bushalte en we gaven hem een papieren tas met etenswaren die we voor hem bij elkaar hadden gezocht. Knolraappuree, kant-en-klare bruine bonen, zure zult, gehaktballetjes, Bullens-knakworstjes, marsepein van Anthon Berg – dingen die hij zonder tanden kon eten.

Hij had een nieuwe koelkast. De vorige was jarenlang kapot voordat hij het bij de woningbouwvereniging durfde te melden. Zeventien jaar na het dreigement van uitzetting schaamde hij zich nog zo dat hij een omweg nam als hij iemand van Henry Ståhl Vastgoed zag. Nadat oma was overleden, had hij zich met brood in leven gehouden. En nu had hij een nieuwe koelkast maar geen geld om hem te vullen. De afvloeipremie was al lang op.

Na bijna veertig jaar bij Metallverken kreeg papa 8644 kronen ww-uitkering. De helft ging op aan de huur, de rest aan elektriciteit, telefoon, contributie van de vakbond en premies. Hij had geen inboedelverzekering, geen abonnement op een dagblad en geen auto, hij betaalde geen kijk- en luistergeld en rookte sporadisch. Zijn kleren kocht hij voor weinig bij de kringloopwinkel. Rozebotteldrank en rijstepap bevatten te weinig voedingswaarde en zorgden voor maagpijn en obstipatie.

Toen ik klein was, jammerde papa dat hij zo verrekte arm was. Nu was het geld weer niet toereikend, wat hij ook deed. Hij klaagde nooit. Als ik vroeg hoe het ging, antwoordde hij god ja, het komt uiteindelijk elke maand weer goed.

Ik vond dat hij naar een kleinere flat kon verhuizen, maar dat was volgens hem onmogelijk. Hij had namelijk een sierspiegel direct tegen de wand geplakt, en die kon hij er niet meer af krijgen zonder dat hij het behang meetrok. Als de verhuurder daarachter kwam, moest hij schadevergoeding betalen of werd hij op straat gezet.

Hij pakte de zware tas aan en wist niet hoe hij moest bedanken. Ik voelde me bezwaard, zag mezelf als Michiel van de Hazelhoeve die met een kerstmand bij de armen langsging.

'Ze hebben de huur met driehonderd kerooonen verhoogd', zei hij verontschuldigend.

'Ik weet het, het zijn barre tijden.'

'Godsamme ja. En het schijnt nog erger te worden.'

Papa kreeg nooit meer een baan met een cao-loon, maar af en toe was er plek op een timmerwerkplaats bij de oude warmtekrachtcentrale. Daar vond hij een uitlaatklep voor zijn handigheid en creativiteit: het werken met zacht hout naar eigen idee was iets anders dan het verhitten en buigen van staal. Hij zei dat het de beste baan was die hij ooit had gehad.

Hij werd niet zo'n zwerver in Smedjegatan, de staatsslijterij bezocht hij slechts af en toe. Wegens geldgebrek, en hij wilde niet helemaal kansloos worden op de arbeidsmarkt – maar dat was hij sowieso. Nu kon hij met me praten over alcohol, hij zei dat hij het niet meer zo hard nodig had nu hij weg was bij die veeleisende staalovens. Bij Metallverken verwachtte iedereen dat hij met zijn rinkelende schoudertas kwam aanzetten, nu ontmoette hij mensen die geen idee hadden wie hij was. Het was makkelijker ongestoord nuchter te zijn, niemand die hem wantrouwde of vond dat hij zich vreemd gedroeg.

Zijn liefde voor Amanda en Maxim droeg ook bij aan zijn gemoedsrust. Voor hen, zei hij, zal het allemaal anders gaan. Mama zei – letterlijk – hetzelfde: voor jouw kinderen zal het anders zijn. Ik durfde aan geen van beiden te vragen wat ze bedoelden, want ik was zoals altijd bang om over ons te praten.

Misschien dachten ze dat ze me in de steek hadden gelaten.

Dat zeiden andere mensen namelijk, dat ze dat hadden gedaan, allebei op een andere manier. Het hardst was het oordeel over mama: hoe kan een vrouw haar kind verlaten?

Hadden ze mij in de steek gelaten?

Zij misschien, maar hij niet. Hij had me immers alle liefde gegeven die er te krijgen viel.

Hij misschien, maar zij niet. Zij was er immers al die tijd geweest.

We zagen elkaar niet zo vaak, maar we belden geregeld. Ik stuurde af en toe een pocket op met een paar briefjes van honderd erin, zo kon hij bedanken voor het boek zonder over het geld te hoeven reppen. Amanda stuurde foto's van zichzelf, opgesteld als verdediger in het jongenselftal van Vindhem.

Meestal belde papa als hij kwaad was over iets wat de sociaal-democraten hadden gezegd of gedaan. Of niet gezegd en gedaan.

Kwaad werd hij ook al toen ik klein was – iedere nieuwsuitzending veranderde in een experimentele werkplaats voor nieuwe scheldwoorden, sommige zo grappig dat hij zelf verrast was – maar het waren andere tijden nu. Kjell-Olof Feldt, Erik Åsbrink, Mona Sahlin, Göran Persson ... daar viel verdomme echt niet om te lachen. Alles ging naar de klote: geen banen, lagere uitkeringen, hogere huren. Negenenveertig kerooonen voor een klein rotstukje kaas – wie kon dat nog betalen? Nee, dit was verdomme echt niet meer om te lachen.

Hij miste Palme, maar zei dat de herinneringen aan hem verbazingwekkend vaag waren. Palme was als het ware veranderd in een filmpersonage, die avond dat hij naar de bioscoop ging. Onwezenlijk op de een of andere manier, papa twijfelde eraan of de man wel ooit had bestaan. Het onderwerp van mijn proefschrift baarde hem geen zorgen meer.

'Nee nee, schrijf verdomme, schrijf! Gooi ze op een hoop en maak ze af!'

Hij was ook teleurgesteld in de Vänsterparti, die niets zinnigs uit de samenwerking met de sociaal-democraten wist te halen. Maar Gudrun Schyman mocht hij wel.

'Ze schrijven dat ze drinkt, en dat beweert ze zelf trouwens ook. Maar volgens mij is het niet zo erg. Ze ziet er in ieder geval niet uit als een ordinaire zuipschuit.

Schyman is echt een prima wijf, maar waarom blijft ze zo hangen in dat vrouwengezwets? Het is een beetje te veel van het goeie allemaal. Kan niemand 's tegen d'r zeggen dat ze zichzelf de hoek in lult?'

Volgens papa waren er drie soorten vrouwen – als je oma de Boei, Majken, mama, Sonja en nog een paar andere niet meetelde. Je had wijven, vreselijke wijven en vreselijk goeie wijven. Mijn hele jeugd klasseerden we vrouwvolk dat we kenden en vrouwvolk dat we op tv zagen volgens deze categorieën. De kassière van de Stjärnhall was een voorbeeld van een gewoon wijf – maar het bloemenmeisje was dat sterretje bij de bloemen, je weet wel, die het een beetje van me te pakken heeft. De juffen van de crèche en naschoolse opvang waren vreselijk goeie wijven, net als die pacifistische wijven Alva Myrdal en Inga Thorsson.

Astrid Lindgren was een vreselijk wijf, dat geen belasting wilde betalen – als ze niet zo gewichtig had gedaan met haar Pomperipossaverhaal in *Expressen*, zou Zweden nog steeds door een intellectueel worden bestuurd. In plaats daarvan had ze een boerenkinkel met pijp geregeld. Dit weerhield papa er echter niet van de boeken van Astrid Lindgren te kopen en zich te identificeren met Efraïm Langkous. Een andere stommeling was Karin Söder, die het klasse-IIB-bier verbood en de staatsslijterij op zaterdag dichtgooide. Van alle vreselijke wijven die ooit hadden bestaan, was Margaret Thatcher de gekste. Zo typisch Engels om je toekomst in de handen van zo'n draak te leggen.

En dan had je toneelspeelster Margaretha Krook. Het beste wijf van de wereld.

Ze was een keer op tv toen papa's vriend Sören op bezoek was. Papa vroeg zich serieus af hoe groot de kut van Margaretha Krook zou zijn. Het gesprek ontaardde al gauw in hysterisch gegiechel. Ze waren het erover eens dat ze een enorme kut moest hebben en maten die met hun handen af aan hun eigen geslachtsorgaan.

'Zo'n grote kut heeft ze vast!'

'Ja ja, minstens! Misschien nog wel groter!'

Nu naderde het einde van de jaren negentig en papa vroeg wat feminisme voor iets was. Feminisme, trachtte ik uit te leggen, is het idee dat we niet als man of vrouw geboren worden, maar dat we zo worden opgevoed, en dat vrouwen ondergeschikt zijn in een patriarchale, dat wil zeggen mannelijke, machtsorde.

'Ben jij feminist?' vroeg hij.

'Ja, dat ben ik, alleen noem ik mezelf niet zo. Ben jij feminist?'

'Of ik feminist ben? Godsamme nee!'

Hij had niets tegen gelijkheid, zei hij, hij was alleen die kakelende wijven zo zat.

'Ze kunnen ophoepelen met hun praatjes dat alleen vrouwen voor het huishouden en de kinderen zorgen. Dat doet toch iedereen?'

Voor hem was het gepraat over de ondergeschikte positie van de vrouw onbegrijpelijk: zijn vrouw was gewoon haar eigen gang gegaan en zijn vriendin was naar Mallorca vertrokken en teruggekomen met een pooier. Wie bevond zich nu eigenlijk in een ondergeschikte positie?

Was over de arbeidersklasse praten niet genoeg? Daarin zaten immers de mensen die het het slechtst hadden: schoonmaaksters, crèchejuffen, kassières, verzorgsters. Wij, gewone arbeiders en werklozen, wij onderdrukken die kakwijven op Östermalm toch niet?

'Zij onderdrukken ons! Ons allemaal!'

Tuurlijk was hij in staat al die burgertrutten te verkrachten. Hij had er alleen geen zin in. Hij sloeg ze liever verrot.

Hij vroeg of ik wist waar de klassenstrijd was gebleven. De solidariteit. Alles was verdwenen.

Het was langgeleden dat papa over het communisme

praatte en vertelde hoe goed alles zou worden als er niet langer armen en rijken waren, als iedereen elkaar hielp. Dan hoefde niemand zich eenzaam en buitengesloten te voelen. Utopieën waren van een andere tijd.

Papa werd zestig en Amanda bewonderde alle snuisterijen van glas en porselein. Voorzichtig beroerde ze het hertogelijk paar op het ladenkastje, frunnikte aan een klokje
dat ooit van oma was geweest. Vroeg wie het mannetje van
keramiek was – Gunnar Sträng. Ik zag dat onder de voeten
van onze voormalig minister van Financiën, ooit door opa
Kalle met een pak slaag bedreigd, de naam van keramiste
Lisa Larson stond. Amanda zou die herfst tien worden en
ze vond de woning in Rönnbergagatan net zo prachtig als ik
op haar leeftijd.

Toen ze bij de boekenkast stond te kijken, moest ik denken aan die keer dat papa dertig werd. Het was 1971 en ik
was bijna drie. Hij had op exact dezelfde plek gestaan als
waar Amanda nu stond, samen met zijn broers, en ze een
nieuwe platenspeler laten zien terwijl vanuit de keuken het
gerommel en gelach van de vrouwen te horen was. Een paar
maanden later zou hij worden getroffen door de grote ramp,
maar daar had hij geen flauw idee van. We waren die dag
allemaal vrolijk, herinner ik me.

Honderden keren draaiden we Pippi Langkous op de platenspeler, totdat mama op een ochtend schreeuwde dat ze er
niet meer tegen kon. Ik herinner me hoe ze uit de slaapkamer kwam en uitbarstte dat ze de plaat nooit meer wilde horen. Dat ze het niet langer kon verdragen. We werden allebei
verdrietig – vooral mama – en papa zette de plaat weer op.

Destijds begreep ik niet welke gevoelens mama bij zich
droeg en dat die over iets heel anders gingen dan een plaat
die ze zat was. Ik vermoed dat de angst in hen beiden – papa
die ernaar verlangt haar aan te raken en zij die niet meer wil
dat hij dat doet – de lakens verkreukelde die het bed nog om-
sloten. In een andere stad lag Lasse zich af te vragen of ze de

zijne zou worden. Ze was opgehouden met lachen om papa's grapjes en hij begreep niet waarom. Ze was niet meer blij als ze hem de sleutel in het slot hoorde steken en hij voelde dat. Als ze hem aanraakte was dat per ongeluk.

Tien jaar later ontving papa lichtbeschonken zijn broers en zusters op de fluwelen bank van Fjugesta Meubels. Op de salontafel stonden prachtige grote broodtaarten van de Stjärnhall, waarvan hij jaren had gedroomd dat hij ze naar huis mocht dragen. Iedereen kon zien dat de hartige brood-taarten niet zelfgemaakt waren, maar Sonja beweerde van wel. Mijn tantes begonnen een kat-en-muisspelletje. Niet dat ze iets tegen Sonja hadden, maar eerlijk is eerlijk. Ze vroegen hoe ze de bodems zo dun had gekregen. Daar had ze geen antwoord op en papa probeerde van onderwerp te veranderen. Tevergeefs.

'En die tweede tussenlaag, dat is leverpastei en ...?'

Sonja humde ontwijkend voordat ze afdroop naar haar eigen flat.

De daaropvolgende tien jaar waren de zwaarste uit zijn leven, hij zou zich bijna dooddrinken. Toen hij vijftig werd verruilde hij de fluwelen bank voor een leren bankstel waar-op ik amper heb gezeten omdat onze ontmoetingen in die tijd in de keuken plaatsvonden. Het was niet zo'n Engels ameublement van stevig donkerbruin leer dat lekker ruikt en patina krijgt als het ouder wordt. Het was glad en bruin als een natte regenworm, met foute rondingen, maar dit was wat hij bij elkaar had weten te sparen. Anderhalf jaar lang bracht hij iedere maand vijfhonderd kronen naar Majken, die ze voor hem opzijlegde. Hij maakte plannen voor zijn vijftigste verjaardag. Hij zou korte tijd later opa worden en had nog een paar maanden tot hij werkloos zou raken: een nieuwe, onverwachte catastrofe die tot een wonderbaarlijk keerpunt zou leiden.

Nu werd hij zestig en hij was in een goed humeur. Hij had iedereen afgezegd, door zijn werkloosheid vond hij dat hij het niet waard was om het groots te vieren. Bovendien ontbraken hem de middelen, maar hij was blij dat wij er waren.

'Laat je spierballen zien, opa!' vroeg Amanda.

Dat deed hij graag.

'Zulke spieren heeft alleen Pippi's vader. En jouw opa!'

Vol verwachting haalde hij een reep chocola tevoorschijn en was teleurgesteld toen bleek dat de Marabou-ooievaar op de stukjes was vervangen door een M.

'Wat is dit in godsnaam? Ik dacht dat ik chocola met vogels erop voor de kleine meid had gekocht!'

De zware jaren waren verleden tijd, maar onze relatie zou voor altijd iets bedrukts blijven houden. De bezoekjes waren kort en gingen vaak niet door. Maar sommige momenten met papa voelden als vanouds. Misschien was het onvermijdelijk. Nu alles zo goed was tussen ons, wilde ik weer die kleine meid zijn. Ik wilde dat hij sterhalma tevoorschijn haalde, in een gekrast Duralex-glas een biertje inschonk en zei dat het mijn beurt was om te beginnen.

Ik heet geen Åsa, wilde ik tegen hem zeggen, want ik ben Åsa niet. Ik heet Natasja, Madeliefje, meis, poppetje, gekkie, kleine meid. Je bent alle namen die je me gaf toch niet vergeten?

Ik herinner me je nog, papa. Wat weet jij nog van alles wat jij en ik waren?

HET DUURDE JAREN om mijn proefschrift te schrijven en al die tijd nam ik me voor om voor papa een pak te kopen als ik klaar was, zodat hij zich goed zou voelen tijdens mijn promotie tussen alle professoren in de pompeuze zalen van de Universiteit van Uppsala.

Maar er kwam geen pak. Toen puntje bij paaltje kwam had ik geen zin en ook geen geld om het te kopen.

Ik droeg mijn proefschrift op 'aan iedereen die kwam en ging in Skiljebo, ooit de wijk van klassenstrijd, liefde en voetbaldromen in de stad van de metaalarbeiders, Västerås', maar nodigde hem niet uit voor de ceremonie. Ik hield mezelf voor dat het voor zijn eigen bestwil was, dat hij zich buitengesloten zou voelen in de kring van mama en Lasse – ik vergat voor het gemak hoe goed alles was geweest op de dag dat ik mijn einddiploma had behaald. Ten tweede wilde ik niet dat hij zich zou zitten schamen voor zijn tandeloze mond. Voor het feit dat hij uit de toon viel tussen al die hoogopgeleide en succesvolle mensen.

En wat doe jij?

Op het moment even niets, maar ik ben eigenlijk staalharder.

Aha, tja.

Op de promotiedag kreeg ik een kaart met rozen: 'Ik ben trots op je. Ik wens je veel succes in de toekomst. Papa.'

In de envelop had hij vijfhonderd kronen gestopt van zijn armzalige uitkering. Ik voelde me bezwaard dat hij me zo veel geld gaf en nu voelde het helemaal triest dat hij niet naast me zat tijdens het diner van het grote feest. Hij hoorde dat ik verdrietig was toen ik belde om hem te bedanken. Hij vroeg of het soms niet goed was gegaan.

'Jawel, heel goed.'

'Kijk eens aan, dan is alles in orde! Als je doctor wordt, moet je blij zijn!'

Hij wenste me veel plezier tijdens het feest en adviseerde me om de professoren al tijdens het voorgerecht op hun bek te slaan.

Misschien was het niet in hem opgekomen dat hij erbij had kunnen zijn, misschien was hij blij dat hij de dans ontsprong, maar vermoedelijk begreep hij wel waarom hij niet was uitgenodigd. Terwijl ik lovend werd toegesproken zat hij in Viksäng en voelde zich als de stinkende plattelandskat uit *Pietje Kortstaart* die zich in gezelschap niet wist te gedragen. Het verhaal dat hij me had voorgelezen uit een van de bibliotheekboeken die we nooit terugbrachten.

Papa kreeg pijn in zijn rug op een manier die hij niet eerder had gehad en zijn voeten waren zo gezwollen dat ze niet eens meer in rubberlaarzen pasten. Ik zeurde dat hij naar de dokter moest gaan. Hij wilde niet. Ik stuurde hem geld voor de eigen bijdrage. Het ging op aan eten.

We zagen elkaar om kerstcadeaus uit te wisselen. Het gesprek verliep stroef. Anders en ik hadden net een appartement gekocht voor anderhalf miljoen kronen, en papa schrok zich rot. Voor hem was een miljoen een magische geldgrens, net zoals vroeger een toffee van vijf öre een centimeter dik was. Hij begreep niet hoe we dat moesten betalen en ik kon met hem niet over mijn inkomen praten omdat ik me schaamde. In de nieuwe economie behoorde ik tot de winnaars. Hij betaalde.

Toen we weggingen, haalde hij uit de kast een hengel. Hij vertelde aan Amanda dat die van mijn opa was geweest en dat hij er een nieuw handvat aan had gemaakt met een klein vakje voor de blinker.

'Ik hoop dat je hiermee net zo veel snoekbaars ophaalt als mijn vader en dat je Macke zult leren vissen als hij wat groter is.'

Hij liet haar het visgerei zien en het verbaasde me hoe klein zijn handen waren geworden na tien jaar zonder werk en weg van de ovens met het staal. Hoe konden zulke grote vuisten zomaar verdwijnen? Ik was teleurgesteld, terwijl ik eigenlijk blij zou moeten zijn om het feit dat hij eindelijk mocht rusten.

Hij was helemaal gekrompen. In het schijnsel van de rode glazen lamp in de hal zag ik dat hij gekleed was in de bruine wollen broek en het lange vest van opa. Hij zag eruit als een huismus. Een eekhoorn in wintertooi.

Papa gaf Anders een hand en de kinderen een knuffel. Ik omhelsde hem voorzichtig, bang om te drukken op plaatsen waar hij pijn had.

'Ik hou van je', fluisterde ik.

'En ik van jou.'

We spraken elkaar voor het laatst op oudejaarsavond. Hij stond zoals gewoonlijk alleen vanaf zijn balkon naar het vuurwerk te kijken. Ik belde hem al om kwart voor twaalf, en zo te horen stelde hem dat teleur. Nu zou de telefoon niet rinkelen als de kerken in Stockholm beierden op tv. Ik weet niet waarom ik zo'n haast had, anders belde ik hem altijd als eerste in het nieuwe jaar. Mijn telefoontje met papa was het allerbelangrijkste, en tegelijkertijd wilde ik dat het achter de rug was. Dat was kenmerkend voor onze relatie van de afgelopen twintig jaar.

Hij kuchte ingehouden door de telefoon; als hij zou slikken waar hij behoefte aan had, betekende de rugpijn nog zijn dood. Het ging verdomme maar niet over. Hij was blij dat het hem lukte naar de timmerwerkplaats te gaan, maar het liefst wilde hij alleen maar slapen. Ik vroeg hem voor de honderdste keer naar de dokter te gaan, hij veranderde van onderwerp. Vond het jammer dat Margaretha Krook het gedicht 'De Nieuwjaarsklokken' niet voorlas. Ze was pas zesenzeventig, dat was toch geen leeftijd om een houten smoking aan te trekken. Nu stond Jan Malmsjö daar in haar plaats, aangeschoten en dikdoenerig, en dacht dat hij de beste acteur, de mooiste mens ter wereld was, alleen maar omdat hij een keer met die gek Ingmar Bergman had gewerkt. Het leven was onrechtvaardig.

Hij vroeg hoe het met de kinderen ging en zei me ze de groeten te doen.

'Dat zal ik doen. Het beste, tot horens.'

'Ja, tot horens. Dag.'

'Dag!'

HET WAS AVOND toen ik te horen kreeg dat papa dood was. Ik gaf college over de Tweede Wereldoorlog en Anders kreeg me in de pauze te pakken. Ik verexcuseerde me bij mijn studenten en pakte mijn spullen. Onderweg naar huis fietste ik langs Luthagens Livs en kocht een gezoet brood en een stuk kaas. Bij de kassa pakte ik een *Aftonbladet* en zag dat het 14 januari 2002 was. Over een dag en een maand zou papa eenenzestig zijn geworden.

Maxim sliep toen ik thuiskwam. Hij was tweeënhalf en leek belachelijk veel op papa, vooral als hij met getuite bovenlip lag te slapen. Voor hem zou papa nooit iets anders zijn dan een legende die verdween in de wereld van sprookjes. Zijn opa van moederszijde heette Lasse. Amanda, die komende herfst elf werd, lag onder een deken op de bank en wilde niet praten. De tv stond aan zonder geluid.

Mijn zus Kajsa en haar man Tomas kwamen. We zaten in de keuken en proostten op Leif met het restje uit een fles die nog over was van Kerst. Kajsa had mijn vader zelden ontmoet, ze kon niet eens beschrijven hoe hij eruitzag.

Ik belde Majken, zij en Alexej hadden hem dood gevonden. Zondagochtend om zeven uur had hij bij hen op de stoep gestaan en iets gezegd over pijn in zijn rug en buik. Hij had om pijnstillers gevraagd en was naar huis gefietst. Zijn broer Rolf had een paar dagen tevergeefs geprobeerd hem te bereiken en was ongerust geworden. Majken en Alexej waren met de reservesleutel naar binnen gegaan. Papa lag op zijn rug in bed met zijn handen op zijn buik. Hij had zijn riem losgemaakt en zijn rits opengedaan, om de pijn te verlichten of om lucht te krijgen. Alexej zei dat het leek alsof hij in diepe slaap was, en ik wilde hem graag geloven.

Hij zei dat het heel raar voor hem was om Leif dood te

vinden. Alexej had de Boei, zijn aanstaande schoonmoeder, namelijk op de brommer naar de kraamkliniek gereden toen ze moest bevallen van Leif, en Kalle de Kanjer, mijn opa, op het meer aan het vissen was. Zes decennia later moest Alexej de ambulance bellen voor de zoon van de Boei. De cirkel was rond.

Majken zei dat papa nog steeds in zijn bed lag, het ambulancepersoneel kon hem pas de volgende dag komen halen. Zij zouden zorgen dat ze naar binnen konden. Ik was blij dat ik dat niet hoefde te doen.

Ik zat de hele nacht alleen op de bank en had behoefte aan iets sterks om te drinken. Trek in een sigaret, hoewel ik nooit heb gerookt. Ik keek uit over de sneeuwbedekte velden van Stabby en begreep waarom men vroeger een dodenwake hield. Papa lag alleen in het donker in Rönnbergagatan, en ik wilde dat ik hem gezelschap durfde te houden.

Begreep hij dat hij de dood zou ontmoeten toen hij zijn riem losmaakte?

Was hij bang? Had er een werkelijkheid bestaan buiten de pijn in zijn lichaam?

Ik voelde dat ik bij hem had willen zijn. Dat maakte ik mezelf in ieder geval wijs. Dat ik naast hem had gezeten en zijn duim had vastgehouden zoals ik als kind deed als ik ging slapen. Een hand op zijn voorhoofd had gelegd en had gezegd dat ik zo dankbaar was dat ik hem had mogen kennen. Dankbaar voor alle ongecompliceerde liefde en alle gecompliceerde ervaringen. Dat het niet zijn schuld was dat mijn levensthema faal- en verlatingsangst was.

Ik zou mijn hoofd naast het zijne leggen en fluisteren dat de utopie van een wereld zonder leiders, klassen, naties, geld, oorlog en concurrentie nog steeds de mooiste droom was die ik ooit had gehoord.

Ik weet wat hij zou antwoorden.

Hij zou zeggen dat het niet echt geworden was zoals hij

had gewild. Het leven niet en de jaren met mij niet. En dat ik heel flink was geweest. En dan zou ik zeggen dat ik in mijn jeugd uiteraard dingen had gemist, maar dat ik ook veel had gekregen wat andere kinderen niet hadden. Dat we allebei flink waren geweest.

Ik wilde dat ik hem en de hele wereld kon laten weten hoe trots ik op mijn papa was. Dat ik hem zou missen. Zo vreselijk zou missen.

DE BEGRAFENISONDERNEMER WAS jong en knap, met donkere krullen en een lichte overbeet. Hij vroeg wat voor man Leif was geweest.

'Hij was de grappigste man die ik ooit heb ontmoet, maar toch kan ik niet op iets grappigs komen dat hij heeft gezegd.'

Dat was alles wat ik kon uitbrengen. Mijn stem brak.

'Wat fantastisch dat je vader je kon laten lachen!'

Hij glimlachte voorzichtig. Ik glimlachte terug.

Naast me zaten tante Majken en tante Nina, die allebei hadden klaargestaan toen de wereld voor papa en mij instortte. Al was ik de enige nabestaande en kon ik alles zelf beslissen, het was fijn dat ze erbij waren.

Aan de wand hingen verlichte afbeeldingen waarop de verschillende soorten kisten te zien waren. Ik vond ze allemaal lelijk, behalve de zwarte. Majken stelde een witte voor. Ik bekeek de witte kist en dacht dat het leek alsof we papa in een paar Russische instappers wilde persen. Met veel moeite wees ik ten slotte op een eiken kist met messing handvaten en beslag. Het was verschrikkelijk. Ik deed het uit consideratie met papa's broers en zusters en omdat ik wist dat papa deze zelf ook zou hebben gekozen – als hij niet op geld had hoeven te kijken.

Ik werd nerveus toen ik hoorde wat het kostte. Ik had geen spaarrekening met lall, mijn salaris ging iedere maand op. De begrafenisondernemer zei dat ik me geen zorgen hoefde te maken. Aangezien Leif alleenstaand en werkloos was en geen spaargeld, inkomsten of waardevolle dingen bezat, betaalde de gemeente – zolang de kosten binnen redelijke grenzen bleven. Een armeluisbegrafenis. Ongewoon, maar steeds gebruikelijker.

'Voor veel mensen zijn het zware tijden', zei hij.

Ik wist dat papa geen dominee wilde en zei dat Kenneth Kvist de uitvaart kon leiden. Kenneth zat samen met mama in het parlement voor de Vänsterparti. Hij was voorzitter van de bandyvereniging in Hammarby, ik was ervan overtuigd dat papa hem had gemogen. Ik moest voet bij stuk houden tegenover de familie, die vond dat er een dominee aan te pas moest komen om te laten zien dat je wist hoe het hoorde.

Niet afsteken, afwijken, afkeuren.

Ze hadden papa nooit begrepen. In hun ogen was hij een loser, een mysterie, waar je maar het best om kon lachen of je hoofd over schudden.

Amanda wilde dat de rouwadvertentie in *vlt* een voetbal als symbool zou hebben. Majken stelde een bloem voor of een paar gekruiste bandysticks. Amanda vond ook dat er moest staan dat papa een 'meester-harder' en 'flierefluiter' was. Hij zei altijd tegen haar en Maxim dat hun opa 'een echte flierefluiter' was. Ze wist niet precies wat hij daarmee bedoelde, maar voor haar betekende het dat hij was zoals hij was – de opa van wie ze zo veel hield.

's Avonds belde Nina, ze was verdrietig. Mijn nicht Rosita had haar gebeld en namens de broers en zusters van papa laten weten dat ze zich gekwetst voelden door de rouwkaart, dat ik mijn vader belachelijk had gemaakt. Ik belde de man van de uitvaartonderneming en vroeg hem de woorden 'meester-harder' en 'flierefluiter' uit de overlijdensadvertentie te verwijderen. Hij vroeg of ik dat echt wilde.

'Ik doe gewoon wat zijn familie wil. En haal die voetbal ook maar weg! Maak er maar een kristallen kroonluchter of een bord knolraappuree van. Doe wat je wilt of bel ze om te vragen hoe ze het willen hebben.'

Hij zei dat hij aan dit soort toestanden gewend was en liever niets meer veranderde – ik alleen en niemand anders zou Leif begraven. Ik vatte weer moed maar vroeg me af of het misschien toch niet ten onrechte was dat papa's familie zich ermee bemoeide. Wat ik en mijn kinderen samen met papa hadden viel toch niet uit te leggen in een paar luttele woorden in de krant.

's Nachts droomde ik dat mijn hele proefschrift, pagina na pagina, was veranderd in een overlijdensadvertentie: *Mijn lieve papa, mijn makker en maatje, Baloo, kapitein Efraïm Langkous, flierefluiter en meester-harder Leif Andersson* ... Er stond dat Margaretha Krook om hem rouwde. In mijn droom vielen mijn professoren me aan.

'Je moet uitzoeken hoe je vader heette, Åsa. Je moet besluiten wie hij nu eigenlijk was.'

Naast professor Torstendahl zat Nacka Skoglund en hij zei dat het hem speet dat hij niet bij de begrafenis kon zijn.

WE HAALDEN DE sleutel op bij Majken en Alexej.

Het huis waar ik als kind zo veel tijd had doorgebracht zag er nog precies hetzelfde uit, behalve dan dat ze al zijn schilderijen er hadden opgesteld. Ze stonden tegen de muren en meubels in de woonkamer.

'Åsa-poppetje, is er een schilderij dat je zou willen hebben?' vroeg Majken.

Overrompeld zocht ik met mijn ogen naar het schilderij met de eksters, maar dat had mijn nicht mee naar huis genomen. Ik wees op het elandenschilderij met de lijst van sigarenkistjes, zonder te weten waarom.

Ik wilde ook opa's oude, badende nimf meenemen, maar die wilde Majken niet kwijt. Als kind had ik niet begrepen waarom oma zo boos was over het schilderij met de vrouw die zo innemend glimlachte. Nu zag ik dat ze uitdagend was op een volwassen manier.

Ik verlangde naar oma en opa, het gemis van mijn vader duwde ik weg.

Papa's flat was net zo keurig als anders, al zag het er vreemd uit met de lege muren die je aangaapten. Er hingen alleen nog schoolfoto's van mij en de kinderen.

Ik ging op de bank zitten om het huis uit mijn kinderjaren op me te laten inwerken, maar het lukte niet. Anderen waren mij voor geweest, hadden alle kasten doorgesnuffeld en bedacht wat ze wilden hebben, zich druk gemaakt over het feit dat de sleutel van de kelderberging nergens te vinden was.

In het gootsteenkastje lag het verzamelde werk over Pietje Kortstaart uit de bibliotheek van Viksäng. In het bovenkastje stond een zuigfles en er lagen een paar oude spenen. Eentje was aan elkaar genaaid met ijzergaren. Ik herinnerde me dat mama die had gerepareerd omdat ik een nieuwe speen weigerde. Het rubber was bruin en verkruimelde toen ik eraan trok. Ik verbaasde me ook over de borden die er stonden. Wit met een blauwe bloemetjesrand. Oma's beige servies met de snoezige bloempjes herinnerde ik me tot in het kleinste detail, ieder barstje en afgestoten scherfje, het servies waar we elke dag van aten. Van deze borden had ik niet bijzonder vaak gegeten, maar soms werden ze vliegensvlug tevoorschijn getoverd voor kreeft of reuzenmacaroni met gehaktsaus. Drie waren er nog over, de rest was zeker gebroken. Een ervan had ik op de grond laten vallen toen ik veranderd was in mama, in Tanja, en sorry had gehuild, sorry, sorry tegen papa, die met zijn linkerarm op het aanrecht had geleund en mij met een gezicht had aangekeken dat ik nooit heb kunnen vergeten, nooit heb kunnen duiden.

Zijn trouwring, die mijn hele kindertijd aan een keukenhaakje naast de radio had gehangen, was weg. En ook het bijzondere kaartspel, *kille*. De zwarte kodak, dat smadelijke toestel dat ooit ons geluk had gedocumenteerd in de vorm van vierkante foto's – en daar vervolgens mee was opgehouden omdat er geen geluk meer was om te fotograferen – lag nog in de doos. Ik haalde het dertig jaar oude filmrolletje eruit en stopte het in mijn tas. Toen bedacht ik me en gooide het in de vuilnisbak.

Ik bekeek de salontafel met marmeren plaat, de kristallen kroonluchter en de boekenkast met de gepoetste messing lijsten. Het kleine ladenkastje in empirestijl, de roodfluwelen gordijnen, de snuisterijen. Ik stond bij de overblijfselen van het leven van een arbeider. Buiten de woning was er niets wat papa had achtergelaten.

Drieëndertig jaar had hij hier gewoond en in eenzaamheid zijn verlangens gekoesterd.

Voorzichtig begon ik in zijn spullen te kijken, pakte ze op

en probeerde papa te definiëren zoals ik hem wilde behouden. Met ieder meubelstuk of snuisterijtje dat ik bewaarde of weggooide, schiep ik voor mezelf een herinnering die niemand me kon afnemen.

Ik betastte dingen van glas, aardewerk, fluweel en handwerk. Ze waren licht, koel, glad, zacht en vormden een grotesk contrast met papa's werkelijke leven.

Hadden de lampjes – vakje 24 in zijn adventkalender – ooit voor erkenning gezorgd? Hij liet ze branden voor een wereld die niets zag, voor mensen die nooit hebben geweten dat daar een vriendelijke man woonde die iemand wilde hebben om tegen te fluisteren en te glimlachen, al die onnoemelijke nachten.

Wat wilde hij met dit huis?

Waarom besteedde hij, die amper geld voor eten had, de laatste paar duizend kronen van zijn afvloeipremie aan een grote staande klok?

Was er een andere drijfveer geweest dan dat hij het leuk vond om tussen zijn spulletjes te rommelen en, zoals de meeste mensen, het prettig vond mooie dingen om zich heen te hebben?

Als historicus probeerde ik de vertrouwde voorwerpen uit mijn jeugd met een professionele blik te bekijken. Ze anders te maken, tot onderwerp van een analyse, een hypothese die ik kon toetsen aan welke maatschappijwetenschappelijke theorie dan ook over klasse, smaak en identiteit. Door mijn opleiding kwam ik tot een inzicht dat me tijdelijk kalmeerde, maar dat al gauw ontoereikend en vals bleek te zijn. Want als ik papa's spullen ook maar een fractie draaide, zagen ze er weer doodnormaal uit.

Ik moest het antwoord op mijn vragen bij hem zoeken, degene die ik dacht dat hij was.

Ik stel me voor dat toen mama ons verliet papa aan de wereld wilde laten zien dat je toch heus geen vrouw hoefde te zijn om een huishouden draaiende te houden. Daarom droomde hij ervan dat de vrouwen die door de straat liepen die flinke huisvrouw zouden bewonderen die daar moest wonen, maar die in werkelijkheid Leif Andersson was, de meester-harder die in z'n eentje voor het huishouden en zijn kleine meisje zorgde.

Maar er moeten ook andere verklaringen zijn. De leren bank kon je immers niet zien vanaf de straat?

In de badkamer, waar zeep en tandenborstel ontbraken, lag een zijden roos op een plank. Ik was in tien jaar niet meer in de badkamer geweest, ik herinnerde het me als een plek waar je verdriet voelde. Als ik naar de wc moest, hield ik het liever op dan dat ik daar naar binnen ging. Nu ik die donkerrode roos zag, werd ik geraakt door zijn eenzaamheid – papa sierde zijn huis op, afwachtend en verlangend naar gezelschap. Naar iemand.

Ongetwijfeld was er ook de behoefte om een eigen wereld te creëren ver weg van de herrie en het vuil in de fabriekshallen van Metallverken. Iets rustgevends, zachts en glanzends. Aan de meubels ontleende hij menselijke waardigheid, aan de snuisterijen een gevoel dat de wereld toch niet zo lelijk was. Misschien waren het de lampjes in het raam die hem boven water hielden. Uiteindelijk kon hij er niet zo'n puinhoop van maken dat hij al die pracht die hij met zo veel moeite had vergaard op het spel zette.

Tussen alle prullaria werd ik er weer aan herinnerd hoe papa droomde van een klassenloze maatschappij zonder er ooit voor te strijden. Hij vocht niet voor zichzelf en niet voor anderen. Iedere eerste mei maakte hij zich zorgen over het geringe aantal demonstranten, zonder op het idee te komen zelf mee te lopen. Hij was doodsbang dat zijn radicalisme aan het licht zou komen, dat zijn werkmaten hem zouden aanvallen op denkbeelden die hij niet kon verdedigen. Hij was niet in staat de socialistische literatuur te lezen om zich de argumenten eigen te maken. Door opa Julle en de familie van mama had hij geleerd dat je kunt worden buitengesloten, vervolgd en je baan kunt kwijtraken als je rood bent. Iets ergers was niet denkbaar.

Hij wilde zo graag zijn als mama's familie in Funkisgatan, mensen die hun vervolgde medemens verborgen en hun baan riskeerden voor de dingen waarin ze geloofden. Hij wilde dat hij één keer zijn gereedschap had neergelegd en zijn werkmaten had bestookt met haat, maar hij was zelfs niet in staat een cheque met een rode balpen te ondertekenen.

Je weet wat je hebt, maar niet wat je kunt kwijtraken.

De socialistische retoriek huldigt helden die de dood in gaan voor de strijd die mannen van staal vereist. Maar papa had iets te verliezen. Een baan, een huis, een kleine meid voor wie hij moest zorgen. Degenen die de meeste reden hebben om de strijd aan te gaan, kunnen zich ook het minst permitteren om het weinige dat ze hebben te verliezen.

Hoeveel papa ook praatte over hoe het is om arbeider te zijn, toch voelde hij dat hij niet echt tot de kern van de arbeidersklasse behoorde. Hij stond aan de kant, ook in zijn eigen collectief. Hij had geen schoonmoeder, auto, zomerhuisje, hangmat, barbecue, rente, aflossingen, internet of klantenkaart van de ICA. Hij had nooit een charterreisje gemaakt. Hij kon zijn collega's ongetwijfeld aan het lachen krijgen met zijn humor, maar was niet in staat het gesprek de kant op te sturen waar hij eigenlijk heen wilde.

Hij wilde dat ze over het socialisme zouden praten. Als er meer mensen zouden zijn die vonden dat het afgelopen moest zijn met alle onrecht, zou hij ook durven zeggen hoe de dingen moesten of konden zijn. Maar in plaats daarvan praatten ze onzin. Natuurlijk scholden ze op de regering, maar ze dachten niet verder dan dat. Als papa net als opa Julle had gepraat over loonslaven en klassenstrijd, hadden ze hem de rug toegekeerd – alleen maanzieken en communisten geloven dat de maatschappij er anders uit kan zien.

238

Hij wilde niet als paljas worden bestempeld, hij wist immers hoe hij zelf over Julle en zijn voordrachten dacht.

Als kind had ik zelf gehoord hoe papa op de werkvloer kon klinken. Terwijl hij Majken onze was liet doen, klaagde hij luidkeels over het feit dat gepensioneerden de wasruimte reserveerden op tijden dat werkende mensen de was moesten doen.

'Tussen vijf en negen uur 's avonds verandert de wasruimte in een kalkgroeve omdat die wijven uitgerekend dan moeten wassen. Alleen maar om dwars te zitten.'

Oma zorgde altijd voor ons eten, maar toch beklaagde papa zich erover dat ik altijd net dat had gegeten wat hij van plan was te gaan koken.

'Stel ik vissticks voor, dan kun je er donder op zeggen dat Åsa dat net die dag in de kantine heeft gegeten. Faluworst en aardappelpuree dan? probeer ik. Dat hebben we op school al gehad, antwoordt ze dan.'

Ervaringen van anderen gebruikte hij alsof ze van hemzelf waren. Thuis oefende hij hoe hij het zou zeggen. Proefde de woorden zodat ze goed in zijn mond lagen. Geloofwaardig klonken. Als ik in mijn kamer zat, kon ik hem in de keuken zachtjes horen oefenen.

Het was geen toeval dat papa – terwijl we zaten te wachten totdat mama thuiskwam – een havenarbeider tekende die ter zijde stond van zijn werkmaten. Als kind vroeg ik waarom de man op de tekening niet bij de anderen stond. Mocht hij niet of wilde hij niet?

Waar was die tekening gebleven? Had hij eindelijk de kracht gevonden hem weg te doen, net als de trouwring en de bruidsjurk die ik ook nergens meer kon vinden?

Maar waarom had hij dan het pak cornflakes met de haan laten staan?

Majken en Alexej zaten in de keuken toen Anders en ik de spullen uitzochten. Ik gaf hun de leren bank, de boekenkast, de staande klok en een paar tassen boeken. Zij trakteerden op sandwiches, slagroomtaart en koekjes.

We praatten over de onverwachte verzekering van Metallverken die aan mij was uitgekeerd omdat papa nog niet de pensioengerechtigde leeftijd had bereikt toen hij overleed. Zesenzeventigduizend kronen.

'Jij komt goed weg, Åsa', zei Majken.

Alexej vroeg of ik soms van de Russische theepot af wilde, die op de serveerboy in de keuken stond; nicht Rosita had haar zinnen erop gezet toen ze hier had rondgekeken.

's Middags waren Majken en ik even samen in de flat. Ze zei dat papa haar nog geld schuldig was. Ik vroeg om hoeveel het ging.

'Neeneenee hoor, het is niets.'

'Voor de draad ermee! Om hoeveel geld gaat het? Om duizenden?'

'Neeneenee hoor, het is niets.'

'Zeg op!'

'Honderd kronen.'

Ik liep naar de hal om mijn portemonnee te pakken. Ze rende achter me aan.

'Ik hoef niets te hebben! Vergeet het geld!'

Ik gaf haar een briefje van honderd en vroeg of het echt niet om meer ging. Dat moest wel, hij had zijn hele leven geld van haar geleend. Ze weigerde het aan te pakken. Ik stond erop, maar ze wilde niets hebben. Ik drong aan, ze zwaaide afwerend met allebei haar armen. Ik smeekte haar, ze zei neeneenee hoor. Ten slotte gaf ik haar een duw met mijn onderarm. Ik weet niet waar dat vandaan kwam. Ze verloor bijna haar evenwicht, maar gaf een mep terug. Ze woog vijfenveertig kilo, ze was bijna tachtig, opvallend mooi en sterker dan ik.

We hielden op.

Voor me zag ik de vrouw die haar hele leven voor haar kleine broertje had gezorgd. Ze had zijn huiswerk overhoord, zijn kleren gewassen, hem geld gegeven en voor mij gezorgd. Ze had het bad laten vollopen, mijn haar gekruld met de gloeiend hete krultang en met schorre stem kinderliedjes voor me gezongen.

Zonder Majken waren we reddeloos verloren geweest.

Daarom was papa op een zomerdag naar haar toe gefietst met een klein sinaasappelboompje dat hij met zorgzame handen had opgekweekt.

'Zie je dat?' vroeg hij en hij wees op de twee sinaasappels, zo groot als druiven.

Een liefdegave. Binnen een paar weken was het boompje dood.

Wat Majken van me dacht weet ik niet. Ze pakte de honderd kronen aan en ging weer in de keuken zitten.

De vuilniszakken waren gauw vol: papa's blazer en gabardine broeken, mijn oude jurken en sandalen van Grimaldi, paaslopers, koperen schaaltjes, rozebotteldrank, kant-en-klare rijstepap. Het laatste blik Heinz witte bonen, dertig jaar oud. Een nieuw seksblaadje dat me een beetje opwond.

De cornflakesdoos.

Plof, plof, alles in de zakken.

Bovenop legde ik de kristallen kroonluchter die ooit in Björkgatan had gehangen. De kaarsen hadden nooit mogen branden.

We waren klaar.

Ik keek door het woonkamerraam naar buiten, in de richting van de warmtekrachtcentrale, die onbekommerd een rood schijnsel verspreidde voor de levenden en de doden.

Het was nog steeds het mooiste gebouw dat ik ooit had gezien. Ooit had ik papa door het raam naar de warmtekrachtcentrale zien kijken en zijn armen opheffen als in een
zweefduik. Gracieus, raadselachtig. Eng bijna.

De milieustraat lag naast Metallverken in Malmabergsga-
tan. Het was koud in de auto. Op mijn schoot had ik de enige plant die niet van plastic of zijde was. Een stevige hangplant met erwtgroene, ronde, enigszins gekrulde blaadjes.
Hij had op de keukentafel op me staan wachten, net als de
bloemen in het gedicht van Nils Ferlin in de overlijdensadvertentie, die pas bloeien als de gever dood is, maar dan des
te langer, mijn lief. Als vijftienjarige had ik al voor dat gedicht gekozen.

De zon ging onder in de late winternamiddag en tekende
de contouren van de gesloten fabrieken. De wijk Kopparlunden was nu industrieel erfgoed en cultureel centrum, met
winkels, uitzendbureaus en IT-bedrijven.

Toen we de kristallen kroonluchter en wekkerradio
dumpten, zag ik een bekend gezicht. Het was Micke, een
klasgenootje met wie ik in groep vijf had gevochten. We
kregen ruzie na een kastiewedstrijd en gingen elkaar met
gebalde vuisten te lijf, totdat hij huilend en met een kapotte
lip opgaf. De andere jongens waren buiten zichzelf van bewondering – een meisje dat een jongen een pak slaag gaf!
Juf Margit was ook tevreden, Micke mocht wat haar betreft
geslagen worden. Toen ik papa over mijn wapenfeit vertelde,
bleven de lovende woorden die ik had verwacht uit.

'Die knul heeft het vast niet makkelijk.'

Desondanks probeerde ik het een paar jaar later opnieuw,
maar dit keer bleef de triomf uit. Niemand in de klas begreep waarom ik tegen Micke begon. Wat had hij me mis-
daan? Niets.

Het was twintig jaar geleden, ik vond het leuk hem te
zien, maar schaamde me ook een beetje. Toen ik zijn blik

zocht, liet ik de halspiegel vallen. Het glas sneed diep in mijn hand, het bloed drupte in de sneeuw en vormde glanzend rode plasjes. Ze zagen eruit als de steentjes in de ring die papa me had gegeven na een van de weinige keren dat we ruzie hadden gehad over zijn drinken. Ik liep naar de auto om tissues te halen om het bloeden te stoppen, en toen ik terugkwam was Micke verdwenen.

Ik overhandigde mama de papieren tas met de Russische encyclopedie die papa geweigerd had aan haar te geven.

'Wat is dit?' vroeg ze. 'Ach ja, natuurlijk!'

Ze nam de ene band na de andere in haar handen. Bladerde er wat in. Verrast. Ze was het naslagwerk waar ze zo lang om had gevraagd bijna vergeten. In haar herinnering was het veel groter. Zwaarder. Geler.

Papa was ruim zestig toen hij overleed. De gemiddelde levensverwachting van Zweedse mannen is achtenzeventig jaar. Een man alleen, zonder vrouw, leeft zelden zo lang. Als lid van de vakbond zou papa bovendien statistisch gezien korter leven dan een hoogopgeleide man. Hij was dus relatief jong toen hij stierf en werd daarom overgebracht naar het Forensisch Instituut in Uppsala, een paar minuten fietsen van mijn werk.

Ik had geen idee dat hij heel even zo dichtbij was, dat begreep ik pas toen het sectierapport in de brievenbus plofte.

Het rapport verbaasde me door het begrijpelijke taalgebruik. Er stond dat de vetopslag op navelhoogte 2½ centimeter bedroeg, dat zijn hoofd begroeid was met circa 10 centimeter lang, grijzend haar en dat zich op de achterkant van zijn lichaam een uitgebreid stelsel van donkerpaarse samenvloeiende lijkvlekken had bevonden. Er waren geen tekenen van uitwendige verwondingen, de beweeglijkheid van het hoofd was normaal en het geslachtsorgaan en de anus waren onbeschadigd. De conclusie was dat papa niet het slachtoffer was van geweld. Zijn maaginhoud bestond uit 600 milliliter dunne vloeistof, geen etensresten maar wel sporen van paracetamol. Kortom, hij was ook niet vergiftigd met pillen. Het was een natuurlijke dood.

Papa's hersenen wogen 1250 gram en waren normaal van vorm. Zijn polsslagaders vertoonden een sterke verkalking. Zijn hart woog 516 gram en de kransslagaders waren zo dichtgeslibd dat ze niet eens opengeknipt konden worden. In de linkerkamer was een oud litteken van 5 bij 4 centimeter zichtbaar, het overblijfsel van een zwaar hartinfarct waar hij zelf geen weet van had gehad. Blijkbaar had hij ontzettende pijn in zijn borst gehad maar het vertikt om naar de dokter te gaan.

Zijn lever woog 1635 gram en was slechts licht vervet. Zijn lichaam was dus niet zo aangetast door de alcohol als veel mensen dachten.

Zijn ene long woog 733 gram en de andere 1184. Dat was de verklaring voor de hevige pijn in zijn rug. Maandenlang had hij rondgelopen met een zwaar ontstoken long, gevuld met etter en vocht, waarvoor hij weigerde hulp te zoeken, maar die hem er evenmin van weerhield om naar het arbeidsbureau of de timmerwerkplaats te gaan.

De conclusie van de patholoog-anatoom was dat papa was overleden aan longoedeem, dat wil zeggen een flinke opeenhoping van vocht in de longen, in combinatie met de oude ontsteking in zijn rechterborstvlies plus zware aderverkalking van het hart.

Ze hadden hem van top tot teen onderzocht. Alle organen uitgenomen, gemeten en gewogen, alles, behalve zijn tong en ogen. Ik zag voor me hoe mensen in groene jassen met plastic schorten van bloed druipende dingen uit zijn lichaam sneden, ze in roestvrije schalen legden, die ze met een kil geluid op de weegschaal zetten. Hoe ze hem met vereende krachten omdraaiden, ik hoorde het neerploffen van zijn ledematen toen ze hem onder het schijnsel van het witte operatielicht overhevelden naar de obductietafel. Zijn lichaam rapporteerde zakelijk over het harde werken, de ongezonde levensstijl en de eenzaamheid.

Ik had kunnen walgen van wat ik las, maar ik voelde vooral dankbaarheid dat er mensen waren die zich om papa hadden bekommerd. Hem hadden vastgepakt, ook al was het gewoon hun werk.

IN AFWACHTING VAN de begrafenis nam ik de papieren en foto's uit het ladenkastje door. Er was een wat grotere foto van het elftal van de Skiljebo Sportklubb die ik nooit eerder had gezien. Papa met elviskuif zit op zijn hurken, de mouwen van zijn voetbalshirt zorgvuldig opgerold. Het shirt lijkt meer op een overhemd en de zwart-witfoto geeft de geel-zwarte kleuren niet prijs. Hij is zeventien jaar oud en heeft net de driejarige bedrijfsschool afgerond en een vaste baan bij Metallverken gekregen, waar zijn vader en broers al zo lang werken. Achter hem staat de trainer, spichtig en vrolijk in een grijs arbeiderspak.

Op de achterkant heeft papa geschreven dat ze als tweede zijn geëindigd in de competitie van het seizoen 1958-'59. De zomer daarvoor had Zweden van Brazilië verloren in de WK-finale. Het is de oogsttijd van de sociaal-democraten, er is net gestemd over een pensioenhervorming en Tage Erlander heeft nog tien jaar te gaan als premier. Papa is de enige die in de camera kijkt, hij is zo knap dat ik mijn ogen half moet dichtknijpen om naar hem te kunnen kijken.

Papa's blik doet me denken aan een paar regels van Gunnar Ekelöf. Ik ben van niemand, lijkt hij te denken, in de overtuiging dat hij zijn hele leven nog voor zich heeft.

Ik ben van niemand
ook niet van mezelf

In een wijnrood sigarenblikje van het merk Ritmeester Livarde lagen vijf foto's van zo'n fotostrip die je in een automaat bij warenhuis EPA of op het station kon laten maken. Ik herkende de Kriel. De andere drie mannen woonden ook in Irsta of Kärrbo. Ze waren aardig maar toch was het nooit leuk als ze bij ons thuis waren. Hun luidruchtige geklets over niets overstemde het geluid van de tv. Uiteindelijk viel ik dan op de bank in slaap. De volgende ochtend rende ik naar mijn kamer om mijn poppen, waar ik anders nooit mee speelde, te pakken en ze in een cirkel op mijn bed te zetten. Ik wees ze een voor een aan: Jij heet Ersa en jij heet Sune en jij ... Ik sloeg ze zodat ze op de grond vielen. Op een gegeven moment verdwenen zowel de mannen als de poppen uit mijn leven, totdat ik jaren later op een middag een van mijn gehaaste bezoekjes aan papa bracht. Toen ik Sune op de bank zag zitten, maakte ik geschokt rechtsomkeert in de deuropening en ging terug naar Uppsala. 's Avonds belde papa me op.

'Ik heb tegen hem gezegd dat hij moest gaan, want zo meteen komt de kleine meid, zei ik, maar hij bleef zitten, de klootzak. Ik schaam me diep. En weet je, ik had kreeftjes voor ons gekocht.'

'Ik ben degene die sorry moet zeggen. Ik had er niet zo vandoor moeten gaan. Dat was kinderachtig van me.'

De vijfde foto was van Sonja toen ze een jaar of vijfentwintig was. Ze had blond opgestoken haar met pijpekrullen bij haar oren, een recht, fijn neusje, zwarte eyeliner. Ze ziet er een beetje uit als Pia Degermark in de film *Elvira Madigan*. Papa had gelijk, ze was echt adembenemend mooi. Ze staat niet alleen op de foto. Ze tuit haar lippen in een kus die ze richt op iemand met lange bakkebaarden. Het is niet papa, het is een andere man, iemand die eruit wil zien als voetballer Ralf Edström. Sonja gaf papa een foto waarop ze flirt met een andere man en die foto heeft hij al die jaren bewaard.

Toen ik de flat verliet, zag ik dat er eindelijk een andere achternaam op Sonja's deur stond. Van alle mensen op het lijstje met telefoonnummers dat ik in zijn portefeuille vond, was er niemand die Sonja of Anita heette. Op een regel stond Veronica. Verder niets, geen nummer.

Het lijstje nummers liet me niet met rust. Vuiltje. Kaalkop, Buster, de Slang, Hoffa, Babbel, Bella en Britta met de tieten ... Wie waren die mensen?

Ik kende hem alleen als mijn papa. Ik wist niets van zijn andere leven en rollen. Nadat ik bij hem weg was gegaan moest er veel gebeurd zijn, en ik had nooit de moeite genomen om erachter te komen wat. Hem nooit ergens naar durven vragen.

Op de bovenste regel van het lijstje stond mijn naam. Eronder stond Drank en het nummer van iemand bij wie hij in het weekend illegaal drank kon kopen. Ik was ontzet – en verbaasd – al kon je uit één zo'n notitie moeilijk aflezen hoeveel hij in werkelijkheid dronk. Misschien kwam het door de pijn in zijn rug, misschien waren er periodes waarin hij terugviel. Was het nummer voor noodgevallen? Of was dit zijn dagelijks bestaan? Sinds hij werkloos was, had ik hem niet één keer dronken gezien of gehoord.

Desondanks was ik blij dat mijn naam bovenaan stond.

Bij de papieren zaten ook een getuigschrift en een ontbinding van het arbeidscontract. Daarin stond dat de mechanische werkplaats van Metallverken rond de jaarwisseling 1991-'92 van eigenaar zou veranderen en dat deze slechts de helft van het personeel kon handhaven. Ze betreurden het dat een van de consequenties was dat Leif werd ontslagen. Tijdens zijn lange arbeidsverleden had hij alle soorten warmtebehandeling van de meest voorkomende staalsoorten uitgevoerd, zowel van snelstaal als gereedschapstaal. Tot zijn werkzaamheden behoorde ook het onderhoud van de ovens, zoals het verwisselen van anodes en pyrometers, evenals een zekere mate van contact met de klanten. Hij had eigen verantwoordelijkheid gehad en Leif was een betrouwbaar en bekwaam vakman.

Er stond niets over dat hij de beste harder van Zweden was.

Papa zei dat het voelde alsof hij zijn doodsvonnis ondertekende toen hij zijn handtekening zette onder de ontbinding van de arbeidsovereenkomst. Toch lijkt hij een vaste hand te hebben gehad. Maar er was iets met zijn handtekening. Het duurde lang voordat ik ontdekte dat er Leif B. Andersson stond. De B van zijn tweede naam, Boris.

Werkloos, maar niet waardeloos. Leif B. Andersson was iemand.

Of veranderde hij zijn naam in een poging zichzelf voor te houden dat niet hij werkloos was geworden? Leif B. Andersson, dat was iemand anders.

Begraafplaats Hovdestalund was bedekt met sneeuw. De begraafplaats was enorm, niet te overzien. Toen ik uit de auto stapte, kwam mijn neef Martin, de zoon van Rolf, naar me toe. Ik had hem altijd gemogen. Papa en hij waren een tijd collega's geweest en toen papa moest afvloeien, mocht Martin blijven. Hij stak zijn hand uit en we begonnen allebei te huilen. Ik zag dat zijn vuisten bezig waren net zo groot te worden als die van papa ooit waren.

Vleeshaken.

Papa's andere broers en zusters stonden al in het voorportaal van de kapel. Veel ooms en tantes had ik jaren niet gezien. Ik probeerde wat woorden te wisselen, ze liepen door. Passeerden mama alsof ze aan het verkeerde adres was.

Toen ik mama naast Erland zag staan, de enige broer die Västerås had verlaten – om bij Metallverken in een andere stad te gaan werken – kwam er een oude herinnering boven. We zijn in een huis, ik weet niet waar, met overal heel veel mensen. Zomer. Papa gaat het huis binnen om met een biertje koelte te zoeken. Mama en ik geven hem een knuffel in de deuropening als Lilly, de poedel van Erland, komt aanrennen. Papa doet alsof hij de deur wil dichtslaan zodat Lilly's kop zal verbrijzelen, maar dan bedenkt hij zich. Het was maar een geintje.

'Klotehond!' zegt hij en mama lacht naar hem met een blik van verstandhouding.

Ik kijk naar hen op en voel me opgelucht maar ook een beetje teleurgesteld dat papa het beest niet heeft gedood.

Ik nam Amanda en Maxim mee de kapel in om hen de kist te laten zien. Hij was niet zo lelijk als ik had gevreesd. De kist deed een beetje denken aan Åsa. De boot.

Het grootste bloemstuk was van 'De vrienden van café Västerport' en ik begon te vermoeden wie Buster, Bloem, Hoffa en de anderen waren – papa moet een stel maten hebben gehad, misschien uit de timmerwerkplaats, die hij in de kroeg ontmoette en die hij gewoontegetrouw bijnamen had gegeven. Ik hoopte dat ze durfden te komen.

'Bedankt voor Åsa' stond er op het zijden lint van het boeket mimosa en fresia's, zijn lievelingsbloemen. Het was van mama.

Rolf was de enige van zijn broers en zusters die de kist had getooid met een krans en een laatste groet. De anderen vonden zeker dat papa hun al genoeg had gekost. Of hadden het niet nodig gevonden – het was Leffe maar.

Ze waren uitgelaten dat ze elkaar allemaal weer zagen, rumoerig als een schoolklas in de rij voor het eten. Tevergeefs vroeg de uitvaartbegeleidster om stilte tijdens het klokluiden. Ik zat in een kerkbank en voelde me verdwaald; op de achtergrond stonden Berit en Börje, ze waren verdrietig. Sinds een paar jaar waren ze papa's beste vrienden, maar ik weet niet hoe ze elkaar hadden leren kennen en dit was de eerste keer dat we elkaar ontmoetten. Ik wist dat ze belangrijk voor hem waren geweest en begreep meteen waarom hij zich in hun gezelschap thuis had gevoeld. Er waren geen andere vrienden, maar de voorman van de timmerwerkplaats was er, over wie papa altijd zo vol lof was. Hij droeg een overall, waardoor de ceremonie respect uitstraalde voor het leven van papa als arbeider.

Achter mij in de kapel hoorde ik geweeklaag over het feit dat papa niet door een dominee werd begraven. Kenneth Kvist speelde de nocturne 'Slaap op mijn arm' van Evert Taube op dwarsfluit en de langzame, ijle klanken sneden door mijn ziel. Ik herinnerde me papa's grote, veilige schouder en het lichte, grove okselhaar dat er een beetje uitzag als het riet bij de jachthaven.

De broers en zusters namen afscheid bij de kist. Wat een

begrafenis heeft ze je gegeven, Leffe! Wat is ze veranderd, die kleine meid van je, leken ze te denken. Het is precies Tanja. Ze maakten dat ik me schaamde dat ik überhaupt aanwezig was.

Als laatste liep mama naar voren met Maxim op haar arm. Ze legde haar bloemen neer. Ze zagen er mooi uit samen.

Het was voorbij. De anderen begaven zich naar de brood-taart. Ik keerde terug naar papa.

Eindelijk waren we alleen. Hij was niet wakker. Ik was niet bang.

Er stond niets tussen ons in. Geen bierglas of charmante glimlach. Niet een bedenkelijk trekje in zijn mondhoek, een sigaret, een grapje. Niet het onuitgesproken gemis van mama, het verlangen naar een ander bestaan, de droom over een ander leven. Alleen papa en ik.

Ik streelde de kist aan het hoofdeinde. Liep naar de an-dere kant en rook vaag de geur van zijn voeten.

WE NAMEN EEN omweg langs Metallverken. Het hek en de bewakers waren weg, iedereen kon naar binnen en een kijkje nemen in de fabriekshallen, die een veel groter terrein besloegen dan ik ooit had gedacht. Ze zagen er helemaal niet uit zoals ik ze me herinnerde. De oudste gebouwen – van lichtoranje baksteen met witte bloemenrand – waren honderd jaar oud en op een bepaalde manier mooi. Vreemd. Misschien wilde ik het zo. Papa's werk zou voor altijd tot zijn onbereikbare kant horen, iets wat ik nooit had durven uitzoeken, bang dat mijn beeld van hem verstoord zou worden. Achter de werkplaatsen lag het hoofdgebouw. Het zag eruit als een oude fabriek, ik verwachtte bijna dat de patroon het bordes op zou stappen. Niemand gelooft me, zei papa altijd, als ik vertel hoe ouderwets alles bij Metallverken is. De tijd heeft er stilgestaan, alles ziet er nog net zo uit als toen ik kind was, als toen opa jong was.

Ik herinner me hoe ik me als meisje papa als een drakentemmer had voorgesteld, terwijl het in feite de draken waren die hém hadden getemd. Niet één keer had hij terugverlangd naar Metallverken nadat hij voor de laatste keer had uitgeklokt.

We passeerden Finnslätten, een van de grootste werkvloeren in Europa. Daar zaten duizenden arbeiders printplaten, relais, robots, elektrische schakelkasten en controlepanelen in elkaar te zetten. Anonieme mensen die de auto of bus naar huis namen. Als je niet wist dat ze daar zaten, wist je niet dat ze bestonden.

Västerås lag achter ons. Met regelmatige tussenpozen lichtten de gezichten in de auto op door de verlichting van de E18. Buiten lagen de besneeuwde velden van Irsta, waar papa en ik op een vroege, rusteloze zomermorgen een lynx hadden gezien. Anders concentreerde zich op de weg, Amanda zat op de achterbank en keek stilletjes de donkere winteravond in. Maxim zat in het autostoeltje achter mijn rug tegen de voorstoel te schoppen.

'Mama, is opa Leif nu dood? Waarom? Waarom is hij dood?'

Ik keek naar papa's kleinkinderen en besefte dat ze nooit zullen begrijpen dat een Lundius-boterham anders smaakt dan gewoon naar brood. Hoe zal ik ze ooit kunnen uitleggen hoe het voelt om naast een uitgeput lichaam te slapen dat zowel zweet, bier en eenzaamheid uitwasemt als een koppige droom over solidariteit en rechtvaardigheid?

Voor de miljoenste keer popten de plaatjes in mijn hersenen op. Ik hoor het geluid als papa de deur van de crèche opendoet en zijn voeten veegt.

'Ha poppetje, fijn je te zien', zegt hij, en hij neemt mijn omhelzing en de tekening van de prinses in bruidsjurk in ontvangst.

Hij zet me op de bagagedrager en fietst weg. We gaan naar het huis van oma en opa, snoekbaars eten.

Mijn papa en ik.